ピエルドメニコ・バッカラリオ／フェデリーコ・タッディア 著
吉川明日香 日本版監修　野村雅夫 訳　グッド 絵
東洋経済オンライン
編集長

いざ！探Q

お金はなんの役に立つ？

経済をめぐる15の疑問

太郎次郎社エディタス

もくじ

1 経済って、なに？ …… 5

2 お金って、なんだろう？ …… 17

3 働いてお金を得るって、どういうこと？ …… 25

4 どうしてみんな、働くの？ …… 35

5 商品は、どうやって生まれるの？ …… 45

6 商品は、どこでどうやって売るの？ …… 51

7 だれが値段を決めてるの？ …… 63

8 売ったり買ったりできないものは？ …… 71

9 銀行は何をするところ？ …… 77

10 株式会社って、なに？ …… 87

11 経済成長って、なんだ？ …… 97

12 お金がないって、どういうこと？ …… 107

13 お金についての国の役目は？ …… 115

14 税金を払うのはなんのため？ …… 123

15 グローバル市場って、なに？ …… 129

じゃあ、またね …… 139

日本版監修者あとがき …… 141

1

経済_{けいざい}って、なに？

　みだよ、きみ。ちょっと自分のこと、見てみて。
　服は着ているよね。よし。その服はきみのお気に入り？ それとも、あまり好きじゃない？ いずれにしても、たぶん、きみが選んで、買ってもらったものだよね。ここで大事なことばがふたつあるぞ。「選ぶ」と「買う」。
　話を先へ進めよう。どんな靴_{くつ}をはいている？ かっこよくて、はき心地がよくて、色もいい感じ？ 水には強い？ それとも、雨の日は長靴_{ながぐつ}をはくの？ ところで、いまの天気は？ 暑い？ 寒い？ ダウンジャケットは必要？ ウインドブレーカーは？ 体重が増_ふえたから、ズボンはそろそろ買いかえどきかな？ それとも、ぶかぶかでベルトが必要？ 好きな食べものはなに？ 買ってくるのはだれ？ きみ？ きみは買いものができるの？ マジで？ じゃあ、料理は？ 皿洗_{さらあら}いもするの？ お湯がどこから流れてくるのか、考え

たことある？　お湯をどれくらい使っているかは？

　水道料金の領収書を見たことある？　電気代は？　ガスは？　え？　領収書が何か、わからない？　だったら、親に頼んでひとつ見せてもらうといい。そうしたら、きみたち家族が毎日、水や電気やガスを「消費」しているってわかるはずさ。あとは、そうだな、電話料金とか、テレビの受信料とか、いろんなサービスにお金を払っているんだってことに気づくんじゃないかな。

　ここで、いったんストップ。こうしてきみを質問攻めにしたのは、経済学者が毎日考えていることをちょこっと体験してもらおうと思ったからさ。どうして、人は何かがほしくなるんだろう。そして、ほしいものを手に入れるかわりに、何を差し出すんだろう。

　身のまわりを見渡してみれば、いろんなものがわんさかあるよね。着るもの、見るもの、聴くもの。まだまだあるぞ。アイデア、夢、あこがれ。行ってみたい場所に、できれば行きたくないところ。きみのやりたいことができる場所や、見たいものが見られるところ。そして、きみが将来、家を建てるために買いたい土地。

　だれが、ものを生みだすのか。だれが、それをきみにくれるのか。だれが、それをさせてくれるのか。いくらかかるのか。なぜ、その値段で、別の値段ではないのか。なぜ、きみはそれが好きなのか。きみは自分のお気に入りをどうやって選んでいて、どうすれば他人にうまく何かを気に入ってもらえるのか、などなど。こういうことを考えるきみは、もう「経済」を学んでいるといえるぞ。

　ちゃんと言うなら、こうだ。

　経済は、ぼくたち人類が持っている「資源」の総体であり、ぼくたちの要望を満たすためにその資源を使いこなす方法であり、ぼく

たちをより幸せにするもの。それと同時に、こういうことがうまくいっているかどうかを研究する学問でもある。

　経済学を少しでもかじれば、自分がどう行動すればいいのか、その理由もふくめてわかるようになる。さらに、世界の人びとがどんな理由で資源をほしがるのかや、その資源を使う必要があるのか、そして、どう交換しているのかが、手にとるように理解できるようになるよ。

　それにしても、「資源」って、なんだ？　まあ、ざっくりまとめると、こんな感じだ。

　いったん落ち着いてから、先へ進もうか。
　経済について知ることは、まずなによりも、きみをとりまく世界

のしくみや浮き沈みを理解するための手助けをしてくれるものなんだ。

　ぼくらはみんな、経済的な生きものだよ。だれだって、何かを食べる必要があるけれど、その好みは人それぞれだ。寒いときには服を着こむ必要があるけれど、どんな服にするか、どう着こなすかなんて、100万通りの方法があるよね。どうして？

　それは、ほしいものは人それぞれで、ひとりひとりが違う選択をするからさ。さらに、何か足りないものやほしいものがあったら、自分の持っているものをだれかと交換することだってできるから（友だちととりかえっこ

**ぼくらはみんな
経済的な生きもの。
だけど、そのあり方
は人それぞれ、
十人十色だ**

したことはあるよね？）、その組み合わせは無限ってわけ。

　そもそも、好きなときに好きなものを選べるとはかぎらないし、ぼくたちの選択がかならずしも合理的とはかぎらない。なんでこんなもの買っちゃったんだろうってこと、あるだろう？　そして、いつでも同じ「価値」のものと交換できるともかぎらない。それに、ものの価値を定義するのはとても難しいんだ。

　あるぬいぐるみに、きみが心奪われたとしよう。黄色いニワトリみたいなぬいぐるみだ。きみはきっと、それを黄色いクマとは交換したくないだろう。黄色いクマ10頭でも、ダメだよね。100頭でも。たぶん、そうだろ？

そのとき、黄色いニワトリのぬいぐるみの価値って、どれくらいなんだろう。払った金額か、それ以上か。あるいは、それより少ないか。だっていまや、足が1本、引っこ抜かれちゃっているからね。「黄色いニワトリの価値はいくら？」って質問に答えるのは、じつはなかなか難しい。きみにとってどれくらいの価値があるかってことも、勘定に入れないといけないからね。

人はみな、生きていくうえで必要なもの（食べもの、家、服）を手に入れないといけないし、好きだから持っておきたいものもある（黄色いニワトリ）。いずれにしても、お金はできるだけ使いたくない。

ただ、だれもそれを完璧には実現できないし、何が必要かの線引きもうまくいかないものだ。これこそ必要なものだとか、持っておきたいものだとか決めるとき、ぼくたちはだいたいにおいて、感情に左右されてしまうものだしね。

きみが黄色いニワトリを好きだってことは、よくわかってる。はずかしがることなんてないさ。だからこそ、足のもげた古いぬいぐるみでも、きみにとってはすごく価値があるわけだ。だって、きみ自身がよくわかってるだろ？　そいつなしでもバッチリ生きてはいけるかもしれないけれど、そいつがベッドの下にいるってだけで、ちょっぴりハッピーになれるんだってこと。

いいかい、経済を勉強するってのは、きみ自身について、きみの黄色いニワトリについて勉強することなんだ。

ぼくたちには、みなそれぞれに、あるとうれしいもの、安心できるもの、つまり、きみにとっての黄色いニワトリみたいなものがある。これが話のスタートだ。

それはどこからやってくるんだ？　おいおい、サンタクロースって答えはなしだぜ。それはね……「マーケット」からなんだよ。

1 経済って、なに？　　9

ほしいものを交換する場がマーケット

　マーケット（市場）は場所じゃない。ここで言っているのは、きみんちの近所のスーパーとは違うんだ。もっと広い意味。マーケットは、有体財産（形のあるもの）、無体財産（形のないもの）、あるいはサービスなどを人びとが交換しあう場のことなんだ。

　深呼吸しようか。思ったほど難しくはないさ。交換については、きみはもうわかっているよ。きみがぼくにそれをくれたら、ぼくはかわりにこれをきみにあげる。それがサッカー選手のカードなら、有体財産。それが映画の情報なら、無体財産。ぼくがきみの宿題を手伝ってあげるかわりに、きみが庭の芝刈りを手伝ってくれるというなら、それはサービスの交換だ。

　人びとがこうした交換のルールを決めたとき、それがマーケットのはじまりさ。ルールは、じつにさまざま。そうだなあ……カードを交換するタイミングは、ハーフタイムにかぎろうとか。古いマンガを売りに行くなら、あそこの本屋にしようとか。ゲームソフトを交換するのは、レベルを最後まで上げてからにしようとか。

　ぼくたち人類は、ずっとマーケットをつくってきた。4000年前には、もうあったんだ。そして、ローマ帝国の時代には、きれいな道路が整備された。はるか遠くで生産されたものとローマのものを交換できるし、うまくすれば、手に入れたものをローマのマーケットに持ち帰って、金持ちに売ることができるかもしれない。

　ここで、とても大切な考えが登場したぞ。わざわざ遠くまで何かを探しにいって、せっかく持ち帰ったのに、どうして売ってしまうのか。それは、利益が得られるかもしれないとひらめいたからさ。

　つまり、うまく交換できたら、きみが使ったぶんよりも、何かが多く手に入るかもしれないってこと。そのぶん、もうけるってこと。

きみはあっちへ出かけていって、何かを手に入れて、こっちへもどって、それをぼくに売る。ぼくがきみに払うのは、ものそのもののぶんだけではないぞ。ぼくのかわりに旅をして、手に入れたものをぼくの家まで持ってくる手間ひまのぶんも必要だよね。

　人びとのほしがるものは、場所や時代によって変わる。1000年前、スパイスやハーブを手に入れるために破産した人がおおぜいいるなんて、バカげたことに思えるかもしれない。

　でも、いまも似たようなことはある。たとえば、新しいスマホとか、試合のチケットとか、なんでもいいけど、ある人たちにとって超重要なアイテムを、できるだけ早く手に入れたいというとき、お店の外には行列ができるよね。一方で、それが重要でない人にとっては、わざわざ行列に並ぶなんて信じられないことだろう。

　すなわち、マーケットには、きみにとって役に立つものもあれば、なんの役にも立たないものもあるし、超重要なものも、そうでないものもあるってわけ。

売り買いするには加工が必要

　マーケットでは、ありとあらゆる資産（リソース）が交換できる。理屈のうえでは。

　世界でいちばん大きなリソースは、地球そのものだ。ぼくたちをとりかこむ物質だよ。海とか川とか大地とか、そういうものをひっくるめて、一次産品とよんでいる。具体的には、木材とか、くだものとか、レンガを焼くための粘土とか、湧き水とか、鉱山から採取する鉱物や金属、石炭、エネルギーを生みだすために燃やされる石油もそうだね。

　一次産品は、そのままの状態だと、交換しにくい。暖炉で燃やす薪をきみがほしがっているとしても、ぼくが木をまるまる一本持ちこんだら、さすがに困るよね。きみのためにぼくは木を切って小分けにしないといけないし、その丸太をトラックに乗せてはじめて、きみんちの薪置場に持ちこむことができるわけだ。

　こんなふうに、一次産品には作業や加工が必要になる。石油はガソリンやディーゼル油になるし、木材は暖炉用の薪になるし（燃やせば、部屋を暖める熱になる）、鉱物のコルタンは細かく砕けばタンタルの粉になり、携帯電話の新機種の動作をびっくりするくらい速くしてくれる（オーケー、わかっているさ。きみの親はスマホを買ってくれないんだろう？　でも、この本を読みおえて頭に入ったことを披露すれば、説得できるかもしれないぞ）。

　作業や加工をほどこすことで、一次産品は、選んだり買ったりできる商品になる。どうやって、選んだり買ったりするのかって？そりゃ、お金でさ。

12

きみがリンゴを食べるまで

マーケットは、だれがつくっているのか

マーケットをつくっているのはだれか。まずはきみだよ、きみ。何かをほしいと思って、買ってくれと家で声を大にして訴える。その時点で、きみはマーケットの一部だ。

マーケットというのは、ものを買ったり売ったりする人たちみんなの関係のことさ。つまり、マーケットにおいて、ぼくたちはみんなつながっているから、きみが何かを選んだり選ばなかったりすることは、ほかの人たちにとっても意味があるんだ。

もしきみが、あるアニメを二度と見たくないとするよね。友だちにもかたっぱしから同意を求めて、見ないでおこうぜと説得したとする。すると、どうだろう。ある時点で、あちら側の人、つまりテレビ局で何を放送するか決める立場の人が、そのアニメはやめておこうと考えざるをえなくなるのさ。

もしきみが、ジャガイモしか食べなくなれば、きみの家ではジャガイモを買う量が増えるし、お店はもっとジャガイモを仕入れるようになるだろう。ところが、きみが芽キャベツだけを食べるようになると、家族はまず、きみがどうしちゃったのかを調べてから、山ほどの芽キャベツを買ってきてくれるだろう（好みはいろいろだしね！）。

マーケットには3種類の人たちがいて、それぞれに経済活動をしている。まずは、きみの家をふくむすべての家庭の「家計」。その向かい側に「企業（会社）」がある。そして、おおよそそのあいだに「国」がある。この3つをひっくるめて、「経済主体」というんだ。

①**家計**は、企業のために働いて、そのかわりに給料を受けとることでまかなわれる。その給料で、ほかの企業の商品を買い（選んで、

値ぶみして、購入する)、国を運営する財源となる税金を支払う。

　②**企業**は、市民の労働力を使って、人がほしがる商品を生みだす。そして、その商品をマーケットで売ることで利益を得る。その利益にもとづいて、企業は国に税金を払う。

　③**国**は、税金を使って市民の暮らしを組織する。マーケットのルールづくりもするし、学校や道路、病院、公園、景観、図書館といった公共財の整備もする。もう働けない人には年金を支給し、みんなが健康的な生活を送るための権利を守る。さらには、うまく仕事を見つけられないでいる人の手助けもする。

　こうした関係をひっくるめて、「経済システム」とよんでいるんだ。このシステムをスムーズに動かすためには、だれでも同じように使える共通の価値の単位が必要になってくる。

　それが、あれだよ、あれ。貨幣。あるいは、この言い方が好みかな？　お金さ。

1　経済って、なに？　　15

2

お金って、なんだろう？

　　お金がどんなものか、どう使うのか、きみはよくわかっている。バスに乗ったり、アイスクリームをゲットしたりするのに、使うよね。学校の遠足代とか、海でサーフボードを借りるときのレンタル代とかにも。

　お金（貨幣）というのは、「価値の単位」であり、「価値の保存の手段」であり、「交換の単位」でもあるんだ。難しいことばだね。説明していこう。

17

価値の単位というのは、ある商品が、ほかのものとくらべて、どのくらいの価値があるのかわかるということ。この靴は1000円で、あっちのは2000円だとかいったぐあいにね。

　価値の保存の手段というのは、きみがお金を受けとったときに、それをすぐ使わなくてもかまわないということ。いつか必要なときのために、とっておくことができるんだね。

　交換の単位というのは、どんなものの売り買いにも使えるってこと。ローストチキンだろうと、黄色いニワトリだろうと、クッキーだろうとね。さらには、たとえば、円やドルやユーロとか、ほかの国のお金とも交換できる。

時代が変われば、お金も変わる

　お金には、**硬貨**（コイン）と**紙幣**（お札）があって、そこには価値が書いてある。5とか10とか50とか。そして、円、ユーロ、ドル、ルーブルなど、それぞれに単位があるね。

　歴史をふり返れば、人類はこれまで、じつにいろんなものをお金として使ってきた。中米ではカカオの種、北アフリカでは貝がら、

中世のヨーロッパでは塩、ネイティブ・アメリカンは貝がらでできたビーズのベルト、などなど。これらはどれも、お金として使われた。

一方で、そうしたものを持たない文化もあった。13〜16世紀のインカ帝国だ。かれらの暮らしはよく組織されていて、15歳からはひとりひとりに仕事がわりふられ、働くことで、お金ではなく、生活に必要なものが受けとれるようになっていたんだって。

お金のことを貨幣ともいう。その国の歴史に密接に結びついていて、貨幣学という研究分野まであるくらいだよ。きみもぜったい知っているようなのを、いくつか例に見てみよう。

> **紙幣**
>
> その昔、ごくごく初期の紙幣は、紙に数字を手書きしたものだった（英語でいうとnote）。それを握りしめて両替所へ行くと、金や銀と引き換えられるしくみになっていたんだ。

アメリカ：最初の米ドル紙幣は、18世紀の終わり、アメリカ合衆国がイギリスから独立した直後に発行された。

ロシア：ロシアのお金は「ルーブル」。ロシアの最初のコインは、西暦1000年前後に鋳造された。1704年に初代ロシア皇帝のピョートル一世が領土すべての貨幣を統一してからは、ルーブルが使われている。

中国：中国のお金は「人民元」。もっとも古い中国のコインには、図柄が何もなかったんだ。西洋文明と接触したあとに、龍の刻印なんかを入れるようになったんだって。

イギリス：イギリスのお金は「ポンド」。最初のポンドは1489年のもの。歴史的に有名なのが1816年の金貨で、1枚に7.3グラムもの金（ゴールド）がふくまれていた。まさに金貨だ。

EU（ヨーロッパ連合）：EUの共通のお金は「ユーロ」。最初のユーロは2002年に流通がはじまって、イタリアをふくむEU27か国のうち、19か国で導入されている。

交換したくてたまらない

　何かと何かを交換したいと思ったこと、きっと何度もあるよね。サッカー選手のカードとか、試合で着たユニフォームとか、本とか。それは物々交換といって、貨幣をあいだにはさまない。

　シンプルな交換の場合、物々交換はうまくいく。きみが持っている何かを、だれかがほしがっているようなときだね。

　たとえば、きみのお姉ちゃんが出る発表会のチケットがあるとしよう。きみは行きたくないけど、ブリジダおばさんは行きたい。そこで、きみがチケットをおばさんにあげると、おばさんはお礼にケーキを焼いてくれて、ふたりとも大満足さ。

　だけど、かかわる人が多くなって、その人たちがモノをほしがっていなければ、物々交換はあまりうまくいかなくなる。

　さっきの例で考えよう。きみのお父さんがおばさんを遠くの会場まで車で送らないといけないとする。それには、ガソリンも入れないといけない。ガソリン代は、おばさんの焼いたケーキひと切れでってわけにはいかないよね。

　お金はこの問題を解決してくれる。交換するときには、お金を渡したり、受けとったりすればいいわけだ。

　おばさんがきみにチケット代を払う。きみはそのお金の一部をお父さんに渡す。それがガソリン代になる（残ったお金できみはケーキも買っちゃう）。

物々交換

きみ → チケット → おばさん
おばさん → ケーキ → きみ

お金を使った交換

きみ → チケット → おばさん
おばさん → お金① → きみ
きみ → お金②（ガソリン代） → お父さん
お父さん → 会場までの送り迎え → おばさん

お金の価値

お金はかんたんにゆずったり、渡したりできる。すばやく動かせて、好きなときに使える。そうやって、お金は役目を果たしている。

その昔、お金はそれじたいに価値があった。有名なのはダブロン金貨で、海賊の宝箱に入っていたようなあの金貨は、まさに金（ゴールド）でできていた。表に王さまの肖像が刻印されていることよりも、大事なのは、その重さ。つまり、どれくらい、鉱物の金をふくんでいるか、だったんだ。

いまは、どの国のお金もほぼすべて、素材そのものに価値があるわけではない。お金は、紙や金属でできているよね。だけど、価値はある。それは、みんなが「そういうものだ」と了解しているから。この紙には価値があるんだって、みんながその紙を信用しているからだ。だから、こうしたいまのお金は「信用貨幣」とよばれる。

数字の話

2020年時点で、日本には、178億5000万枚の紙幣が流通していた。積みあげたら富士山473個分の高さになるし、横に並べると地球を69周できる距離になる。

お金はどこからやってくるのか

『ピノッキオの冒険』に出てくるネコとキツネが言うみたいに、金貨を地面に植えて、新しいのを収穫できるとしたら、そりゃ最高だろうね。もちろん、そんなことは起きない。ただ、ビジネスの世界では、お金を投資するということがあって、そのやり方がじょうず

で、ちょっとばかり運もあると、「もうけ」という果実を収穫できるよ。

　お金を受けとるには、たくさんの方法がある。お金が目の前に現物としてあるなら、きみは「現金」を手にしたことになるね。そのほかに、間接的にお金を手に入れるというケースもあるぞ。銀行口座に振り込んでもらうのもそうだし（受けとるには、きみの名前の銀行口座を持っている必要がある）、絵画とか、何か財産になるようなものを買うのもそうだよ。だって、価値のあるものは、いつか、売ればお金になるからね。

お札のヒミツ

　日本の紙幣の正式名は日本銀行券。日本の中央銀行である日本銀行が発行している（中央銀行については13章に）。お札の表を見てみると、下のほうに小さく「国立印刷局製造」って書いてある。そう、お札は、日本独立行政法人国立印刷局というところがつくった製品なんだ。

　お札には、偽造防止の加工がほどこされている。1万円札だと、真ん中に人の顔の透かしがあるほか、ホログラムの入った金属箔で金額が書かれていたりする。

　ユーロの場合は、光によって虹色に輝くタテ線があったりする。そして、橋が印刷されているのが見てとれる。この橋は実在するものではなく、ロバート・カリーナという人が描いた、ヨーロッパの国どうしの結びつきのシンボルなんだ。

3

働いて
お金を得るって、
どういうこと?

　大きくなったら、何になりたい?　考えたことはきっとあるよね。これが仕事になったらいいなって。サッカー選手、漫画家、あるいはユーチューバー……。しかし、じっさいのところ、仕事ってなんだろう?

　仕事は、ひとつの交換なんだ。自分の時間や、自分の知っていること、できることを提供する。それに対して、たとえば会社は、時間単位や月単位で、あるいは仕事の完了をもって、報酬を支払う。

　世の中にはじつにたくさんの仕事があり、さまざまな働き方がある。

　そうだな、きみがビジネスをはじめることをイメージしてみよう。洋服屋でもいいし、黄色いニワトリを生産する企業とか、なんなら自動車会社でもいい。きみは経営者とよばれ、きみの活動は、事業ということになる。ワクワクするだろうさ。だって、きみの考えた

25

プロジェクトをきみ自身が動かすんだから。けれど、その責任もそっくりきみのものになるから、もし失敗したら大損するようなリスクと危険もあるぞ。

　経営者がぜんぶひとりでできるわけじゃないから、従業員を雇うことになる。こんどは、かれらの立場を考えてみようか。洋服屋の店員とか、人形のクリエイターとか、自動車工場の作業員とかさ。

　こうした従業員の仕事を賃金**労働**というよ。従業員の仕事は、労働時間や所属先が決まっていて、全体として自由度は低いけれど、あるていど安定して働きつづけられるから、穏やかに生活できる。つまりは、大きなリスクを負いにくいってわけ。決められた日数なら休暇をとっても給料が保証されたり、ぐあいが悪いときには仕事を休んだりする権利がある。さらに、子どもが生まれれば、生後しばらくのあいだ、家で面倒をみるために休暇が認められる。

　賃金労働には、職種によって交替制が採用されていることもあるよ。昼と夜みたいに時間で分けることもあるし、医者や看護師、パイロットみたいに、休日が交替制になることもある。

　もし、きみが自分なりの働き方をしたいというのなら、企業や組織に属さないフリーランスという選択肢もあるぞ。自分の能力を「顧客」に提供するわけだ。配管工や大工、弁護士、作家、建築家なんかが代表的なところだけど、ほかにもたくさん

労働

労働の「労」は労力の「労」でもあって、「疲れる」という意味がふくまれているんだよね。でも、きちんとしたルールにもとづいた仕事や労働というのは、経済的な利益以上に、深い満足感を与えてくれるものだよ。自分も満足し、その仕事にかかわるほかの人も満足する。けっして、しんどいだけのものじゃない、やりがいのあるものなんだ。

あるし、人によってもずいぶん違いがある。ただ、フリーランスに共通しているのは、なによりも独立性があるぶん（自分のボスは自分自身だ）、さまざまなかたちのリスクもあるってことだ。新しい顧客を自力で獲得しないといけないしね。

ちょっとあこがれる仕事・ベスト3

高級ホテルの監査員

ホテルには「星」という評価がある。星の数が多いほど、快適で美しいというわけだ。世の中には、仕事として、その設備をすべて試して、ホテルが星の数に見合うかどうか確かめる人がいるんだよ。

ウォータースライダーの検査官

世界中のプールには、総延長が何キロになるのかもわからないくらい多くのウォータースライダーがある。それらが問題なく機能しているかどうか試して回るという、とても幸運な人がいるってわけさ。

イースターエッグの味の鑑定人

卵型のチョコレートにおまけを閉じこめたイースターエッグ。それを食べて評価する仕事人がいるんだ。卵の殻にあたるチョコがじゅうぶんにおいしいものかどうか、判断をくだすのさ。

仕事を探す

　じゃあ、仕事は、どうやって見つけるんだろう。

　目標が道をつくってくれるんじゃないかな。たとえば、洋服屋の店員になりたいとか、パイロットになりたいとか、経営者になりたいとか、目標が定まったら、労働市場に自分を売りこむんだ。用意するのは、履歴書という書類。いわば、きみがこれまで歩んできた「人生の道のり」の記録だ。

　履歴書は、きみが何者なのか、きみに何ができるのかを人に教えるために役に立つ。だから、きみの基本的な情報、きみの経験、そして、仕事で使える能力をなにからなにまで書いておく必要があるぞ。

　できた？　よし！　あとは仕事を探すっきゃない。どんな企業に興味がある？　さあ、腕まくりをしたら、調査してみよう。

インターネット上には、専門のサイトがあるし、企業のサイトをのぞけば、応募のための指示が書いてあるページがあるだろう。

もちろん、アナログなやり方も忘れてはいけない。きみが仕事を探しているってことをふれまわっておいて、口コミも活用しようね。

時間はかかるかもしれないけれど、どこかの時点で、面接のタイミングがやってくる。きみの履歴書に興味をひかれた企業から、お呼びがかかるってわけ。さあ、会社の人に会って、その仕事がきみのためになるかどうか、そしてきみが会社のためになるかどうかを話し合うんだ。

そのうえで、もし、すべていい感じなら、契約について、そして仕事の条件について話しあうことになる。

雇う側と雇われる側の契約

きみは面接をクリアして、夢の企業がきみを雇ってくれることになった。おめでとう！

企業は、きみに労働条件を知らせないといけない。これは、雇う側と雇われる側のとり決め、契約だ。そこには、かなり大事なことが定められている。きみにどんな仕事をしてもらいたいのか。何時から何時まで働いてほしいのか。逆に、休憩や休日はどうなっているのか。そして、給料はいくらなのか。

わかってるよ、きみの興味は。いつ、どうやって給料が支払われるか、だろ？　ふつうは月に一度。昔は給料袋という封筒に現金を入れて、手渡ししていた。だけど、いまでは、そういうやり方はほとんど残っていない。月給や勤務日数の書かれた給与明細という書類だけが手渡されて、お金は銀行のきみの口座（そのうちきみも、か

3 働いてお金を得るって、どういうこと？　29

ならずもつことになる)に直接、振り込まれるのが一般的だ。

　雇用契約には、じつにいろんなタイプがあるぞ。「正社員」ということばは、きっときみも聞いたことがあるよね。これは、無期限の契約のことを指している。きみときみの雇用主とのあいだで突発的な変化でもないかぎり、きみはその仕事をとても長く続けることができるはずだ。

　一方、「契約社員」というのは、いっしょに仕事をする期間が、もっと限定的で、しかも、はっきりと決められている。

　まえにも話したように、労働市場はかなり目まぐるしく変化しているから、きみもその変化の波を乗りこなしていかないといけないぞ。でも、きっと、まじめにやることと、権利を大事にすることというふたつのことは変わらないはずだ。

給料(サラリー)の語源は「塩」

「サラリーマン」っていうよね。サラリーとは英語で給料のこと。その語源は塩だ。古代ローマでは、塩にコインのような価値があるとされていたから、量をはかって渡していたという。または、生きるのに欠かせない塩を買うためのお金を支払っていたという説もある。
　それがやがて、時給によって支払われる賃金をあらわすようになったんだ。

男女の賃金格差（ジェンダー・ペイ・ギャップ）

　同じ仕事をしているのに、男性のほうが女性よりもたくさんお金をもらえるって、きみは妙だと思わないかい？　そんなのまちがってるって思わない？　でも、そんなことがまかりとおっているんだ。

　これをジェンダー・ペイ・ギャップ（性別による賃金の格差）といって、どんな仕事にもじっさいにあるんだよね。EU加盟国では、だいたい16%。つまり、同じ労働時間に対して、女性が受けとる賃金は、男性よりも16%少ないってこと。もっと大きく違う場合もあるよ。たとえばスポーツ。女子サッカー選手は、男子の賃金の10分の1以下しかもらえていない。

　すばらしい例外もあるにはあるけれど、日本では、2020年の時点で、男性が1000円稼いでも、女性は平均して740円しか稼げていない。つまり、同じ仕事をしているのに、260円の開きがあるってこと！　これは、先進国のなかでもむちゃくちゃ悪い部類に入るぞ。

非正規雇用とは

正規の社員ではない、不安定な形式の雇用を非正規雇用という。その契約は、かならずしも働く人を保護するようになっていない。労働市場の変化に対応するために生まれたもので、日本では、宿泊・サービス業や外食・小売業にとくに多い。そして、男性より女性の比率が高いのも特徴だ。

ここで、インターネットで注文した食事を自転車で家まで運んでくれる配達員のことを考えてみよう。かれらも非正規雇用なんだ。

この場合、雇用主はアプリを運営する企業だ。アプリは何か（たとえばピザ）を探している人と、それを提供する人を結びつける。そして、どちらの側からも、一定の割合でお金を受けとっている。

よくできていて、便利だって思うかもしれないけれど、このシステムにも問題がある。配達員の給料が、もしピザの枚数によって決まるとしたら、どうだろう？　配達員はより多く稼ぐために、できるかぎりたくさん配達しようとするよね。休憩もしないで走りまわれば、事故の危険も増えていくし、保険にすら入っていないかもしれない。

医療保険や労災保険、そして休憩は、みんなの危険を減らす大事な予防策だ。非正規雇用では、そうした予防策がじゅうぶんとられないまま働かされるということが、よく起きているんだ。

昔ながらのピザ屋では、ピザは1000円する。その1000円には、下のようなものにかかるお金（コスト＝経費）がふくまれているよ

ピザ
店舗
ピザを焼く職人
ウェイター
そして、もうけが少々！

アプリ会社は、ピザ屋と話し合って、ピザを700円で買うことになっている

なぜって、ピザ屋は店舗を大きくするコストをかけることなく、もっとたくさんのピザを売ることができるわけだから、価格を下げられるんだ

＝¥700

アプリ会社はそのピザをきみの家に1000円で提供するだろうね

その300円の差額から、アプリ会社は配達員に賃金を支払う。自転車をこいで、ピザをとりにいき、きみの家まで届ける仕事の賃金だね

配達員は走るたびに少しずつもうけを手にする

3 働いてお金を得るって、どういうこと？　33

4

どうしてみんな、働くの？

　だれにでも仕事があれば、それはステキだろうね。そして反対に、だれも働かなくていいのなら、それはそれでステキだろうね。

　働くことは、働く人のためになるだけでなく、社会の発展にも役に立つ。働くことで、収入がもらえるよね。つまり、一定の期間ごとに（だいたい1年で計算する）、一定のお金の流れが生まれるということ。

　もしきみが月に10万円稼ぐとするなら、きみの年収は120万円（10万円×12か月）だね。

　この収入が、きみが何かを購入するための手持ちのお金であり、きみが支払う税金を計算する基準になる。

　経済的な豊かさを、ある時点で写真みたいに記録したものを「財産」といって、そこにはお金

だけではなく、所有物（家や自動車といったようなもの）もふくむんだ。

　まわりを見てみると、働いている人がおおぜいいるよね。きみの家にも、道路にも、お店にも、学校にも。その人たちみんなに収入がある。

　きみも16歳とか18歳とかになったら、ちゃんとした契約を結んで働きはじめられるんだ。やがて、ある年齢を超えれば（ここではざっくり65歳としておこう）、働くのをやめて、年金（42ページ参照）で暮らす生活に入ることができる。

　つまり、そのあいだは、きみは国の「労働力」の一員だ。

　労働力は、働こうと思えば働くことができる人たちのまとまりだよ。あらゆる形式の就業者（仕事による定期的な収入を得ている人たちのこと）と、仕事を探している失業者の数をあわせたものを「労働力人口」という。

　学生や専業主婦など、働ける年齢だけど賃金をもらう労働をしていない人のことを「非労働力人口」とよんでいる。そのなかでも、通学・家事・就職をしていなくて、職業訓練も受けていない15歳から34歳

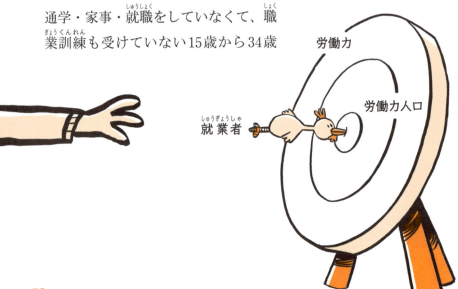

までの人のことを指すことばが「ニート」だ。

さらには、こういう人たちもいるぞ。じっさいには働いているんだけど、ないしょで働いていたり、収入を隠していたりしている人たち。それを「不法就労」というよ。

> **数字の話**
> 日本のニートの割合は、15歳から29歳までの人の9.8％（2016年）。10人に1人だね。これがイタリアでは20％以上にのぼり、社会問題になっている。日本は低いように見えるけれど、高齢化が急速に進んでいて、労働力人口が減っていることを考えると、まだまだ低くなるほうがよいとされているよ。

働くことは権利であって、義務でもある

　日本では、働くことは国民の権利であり、義務でもあると、憲法の第27条に書かれているよ。これは、だれでもしっかり働けるように、その環境やチャンスを国家が国民に与えなければならないってことでもある。いずれにしても、みんなが自分の能力とチャンスを生かして、社会の発展にも貢献できたらいいということだね。

ブラック労働とは

ところで、きみは将来、1日に何時間、どんな感じで働くつもりかな。朝9時にオフィスに着いて、12時には仕事仲間とわいわいランチを食べて、日が暮れてくるころの18時にはパソコンを閉じて家に帰る。たまに仕事が忙しい時期には残って仕事、つまり残業をするけれど、そのぶんはお金を払ってもらえる。そして、会社の先輩はみんな親切で、困ったときには手助けをしてくれる。休日は週にかならず1回か2回。そんな働き方だったら、毎日穏やかに続けられそうだね。

ところが、日本では近年、「ブラック労働」とよばれる働き方が問題になっている。ブラック労働というのは、さっき話した理想的な働き方とは正反対。毎日、長い時間、働かなければならなくて、残業をしても、そのぶんのお金が払われない。会社の先輩は理不尽に大声で怒ってばかり。そんなつらい職場が、残念ながらたくさんあるんだ。

労働時間についていえば、日本の多くの会社では1日に8時間、週に40時間までが基本とされている。それに加えて残業させる場合は、原則として月に45時間までと決められているよ。具体的にいうと、月曜から金曜まで毎日3時間ずつ、夜9時まで残業したら、けっこう厳しい職場環境といえそうだね。

体力のある若いときや短期間なら、きつい働き方でもなんとかなるかもしれないけれど、ずっとそんな働き方をしていたら、体を壊して、仕事を失ってしまうかもしれない。そうなるまえに、きちんと「働きすぎ」かどうかに気づいて、「おかしい」と思ったら、会社と交渉していくことが必要だよ。

たったひとりで会社と交渉すると、うまくいかないかもしれない。

　そんなときは、会社内で複数の人とタッグを組んで声をあげられるといいね。会社によっては、「組合」という労働者の権利を守るための組織もあるから、探して頼ってみよう。

　最近は、「ブラックバイト」ということばも聞かれるよ。たとえば、学校の夏休みに、近所の自転車屋さんでアルバイトをするとする。そんなとき店の経営者は、きみが仕事中にケガをしたときのための保険に入る必要があるんだけど、その保険料がもったいないからと、入らない経営者もいるんだ。修理をしながら好きな自転車について学べるし、お金ももらえるし、情熱を注ぎこめる仕事だったとしても、事故が起きたとき、きみは守ってもらえない。いいかげんな、ブラックな契約で働かされていると思ったときは要注意だよ。

働こう。そして学びつづけよう

　将来の仕事がどんなものであろうと、きみができるなによりすば

らしいことは、学ぶことだよ。ずっとね。あらゆることを学ぶのさ。たとえ、それが、きみには役に立たないと思えるものであってもだ。もし、キーボードをすばやく打てないのなら、コンピュータの天才になることなんてできない。高級ブランドの服をデザインしたいというのなら、色の種類や服飾の歴史をよくよく学ばないといけない。ともかく、どんな仕事にも知識と能力が要求されるし、身につけた仕事が、また別の能力を育んでいく。だからこそ、学ぶことと成長することをやめないようにしたいものだね。

　きみがいま通っている学校からスタートして、進路はじっくり選んでいこう。いろんな種類の専門学校があるぞ。きみがコックや最高のウェイターをめざしたいなら、料理学校というものがある。そしてもちろん、いろいろ学べる大学があるね。それこそ、経済を学びたいなら、うってつけだ。

　こいつをよく覚えておいてほしい。きみが生きている世の中は、情報社会という、第三次産業革命のさなかなんだ。情報は、ことばであり、図や画像であり、コミュニケーションだ。世界中とすぐつ

ブオンジョルノ、ボンジュール、グッド・モーニング、ブエノス・ディアス、おはようございます、ボケル・トーヴ、ボン・ディア、フ・ジャンボ、グーテン・モルゲン、ジェイン・ドーブリィ、ドブロ・ユートロ、ゴーザン・ダイン、フーデモルヘン、ジェアグゥイチエルモジン、グ・モロン、ヒューヴァー・フォメンタ、ラバース・リータス、ヨー・レッゲルト、ソプ・ベヘイル、タシデレ、ナマステ、サワッディー、チョムリアプ・スオ、タロファ、アロハ、ザオ・シャンハオ、アンニョンハセヨ……

ながれる時代だからこそ、外国語を2つ3つ4つと学んだり、異文化を知っておいたりすることが、職業的な能力をグイグイ高めるのに、とても大事になる。

3つの産業革命

第一次
産業革命

織機の
技術革新と
蒸気機関の利用

第二次
産業革命

鉄鋼などの
重工業と
輸送手段の発展

第三次
産業革命

コンピュータと
インターネットの
発達

年金って、どんなしくみ?

　19世紀、年金というアイデアを本格的に行政に持ちこんだのは、ドイツの首相、オットー・フォン・ビスマルクだ。年金のしくみは、一見、とてもシンプル。きみが働いているあいだ、所得の一部を保険料として納めるように国は義務づけていて、いつかきみが働くのをやめてからは、毎月、保険料をもとにしたお金をきみにくれる。

　これを「社会保険」とよんでいるんだけど、イタリア語では「さきを見越したしくみ」という表現をするんだよね。将来のことを考えて、経済的に苦しくなったときのためにお金を貯めておくシステ

年金の歴史

1812年

ナポリ王国（イタリア）は、会社員、公務員、そして孤児に年金を提供した。

1世紀

古代ローマ時代の兵士には、ローマ帝国のために働くことで年金に参加できる権利があった。

7世紀から8世紀

アラブのアッバース朝のころには、税金の一部を貧民や老人に使うようになっていた。

42

1883年

ドイツのビスマルク首相が、はじめての近代的な社会保険をドイツにつくった。

1935年

アメリカ合衆国大統領のフランクリン・ルーズベルトが、経済危機への対策とニューディール政策を打ち出すにあたり、年金制度と失業保険を導入した。

ムだからさ。アリとキリギリスのイソップ童話を覚えてる？　そう、このしくみは、あのアリみたいにしておこうねってこと。

　で、なんで、年金は重要なんだろう。そうだね、きみのおじいちゃんやおばあちゃんが何かプレゼントをくれるとしようか。バカンスに連れていってもらうのでもいい。貯金も使うかもしれないけれど、おじいちゃんとおばあちゃんが、毎月年金を受けとっているからこそ、それができるわけだよね。

　ただ、現実には、年金のしくみは、少々こみいっている。働く人たちが仕事をして納めている保険料は、基本的に、将来の自分たちの年金ではなく、いまの高齢者の年金に使われているんだ。それに、年金にはいくつかの種類がある。決められた期間、保険料を払っていれば受けとれる国民年金（基礎年金）、会社員や公務員が国民年金に加えて受けとれる厚生年金、さらに、会社で独自に積み立てた年金などがある。

4　どうしてみんな、働くの？　**43**

5

商品は、
どうやって
生まれるの？

人は働くことによって、お金を手にするとともに、何かを生みだす。ぼくたちは文章を書き、イラストを描き、レイアウトをして、印刷をすることで、この本を生みだした（だれかが紙とインクを用意してくれたから、できたことでもあるけどね）。

きみの身のまわりは、だれかがきみのためにつくったものであふれている。きみだけのためではなくとも、きみのような人たちのためにつくられたものだ。黄色いニワトリは山ほどつくられ、マーケットに送られ、そのうちのひとつをきみが買ったってわけだ。

何かをほしがる人、使う人、それをもとに新しいものを生みだす人に向けてものづくりをする、この巨大なメカニズムを「生産」という。

45

何かを生産するためにぜったいに必要なのは、つぎの3つ。
①生産を企画する人（経営者）。②経営者を助ける組織（企業）。そして、③そこで生み出される製品。
ひとつめからみていこう。

経営者

経営者というのは、利益を出すという目標のためにいちばんよい方法を選んで、システムを考えて、必要な経費を負担する人のこと。天才肌の人がなることもあれば、とてもきちょうめんな人がなることもある。冒険好きの人もいれば、真逆の人もいる。成功してきた人もいれば、そうでない人もいる。

たとえば、こんな例がある。1970年、旅行カバンの製造者だったバーナード・セードー氏は、スーツケースにキャスターをつけることを思いついたのだけれど、長いあいだ、その発明は無視されていた。17年後、ロバート・プラスというパイロットが同じアイデアを思いつき、トラベルプロという会社を立ち上げた。それがいまや、スーツケースの世界的トップメーカーのひとつにまでなっているんだ。

思いついた！クッキーを生産するぞ！

企業

　多くの場合、経営者は企業（会社）を設立する。そこでいっしょに働く人たちに、生産を手伝ってもらうわけだ。

　辞書にあるようなことばで表現するなら、企業とは、そこにかかわる人の利益を増やすために経済活動をする組織のこと。企業に所属する人には、それぞれに定められた役割がある。やるべき課題があるわけだね。その職務にもとづいて給与が支払われる。

製品

　製品とは、企業の活動の結果だ。黄色いニワトリもそうだし、この本も、メガネも、音楽フェスも、サッカーの試合も、自転車も、CMも、映画も、新しい家も、テニスのレッスンもそう。

　そのなかで、くり返し使えるもの（ボールは破れるまで蹴りつづけることができるし、音楽は何度だって聴くことができる）を「財」とよぶのに対して、形に残らないもの（ヘアカットとか旅行とか、テニスのレッスンとか）を「サービス」とよぶ。

5　商品は、どうやって生まれるの？

クッキーをつくって売るまで

さて、そろそろ、生産ってやつを実践してみようじゃないか。

きみが生産しようとしているのはクッキーでよかったよね？　だったら、原材料（一次産品）と機械（加工手段）、そして、労働が必要になってくる。

原材料については、購入しないといけないし、購入するにはお金がかかる。これが、生産をはじめるにあたっての元手だ。25枚のクッキーを生産するのであれば、小麦粉250グラム、バター100グラム、砂糖100グラム、水60グラム、ベーキングパウダー2グラム、香りづけのバニラビーンズ1本を買わないといけない。

原材料を購入したら、つぎは生産手段だ。きみの場合は、一般的な台所でこと足りるんじゃないかな。もし、ご両親がきみのアイデアに乗ってくれるのなら、タダで使わせてもらえるよね（後片づけはきちんとしよう）。あるいは、世間のしくみをより理解させようと、台所の使用料金を要求するかもしれない。

おつぎは、労働にかからないといけない。きみがもうクッキーのつくり方を知っているなら、それでよし。知らないなら、だれかに教えてもらって、習わないといけないね（これを見習いとよぶよ）。あるいは、報酬を払うことで、きみのかわりにお姉さんにつくってもらうこともできる（これを労働力の活用とよぶ）。

さあ、クッキーができた。そうしたら、売る段どりをつけなくては（言っとくけど、見てたぞ。自分でクッキーを2枚食べちまった

ろ？）。まずは価格の設定だ。

　クッキーをいくらにすべきかと考えるとき、答えはかんたんじゃない。手はじめに、いくらではダメかを考えよう。きみの23枚、あれ、22枚か（そろそろマジでつまみ食いはやめたほうがいいぞ！）、ともかくそのクッキーの値段は、合計で、きみがクッキーづくりのために使った費用の総額よりも、少し高くしないといけないね。

　つまり、まず、原材料のコスト。それに、台所や調理器具を使うのにかかったコストも計算に入れるぞ。きみの労働については、何時間ついやしたのかを把握して（生地を冷蔵庫で休ませた時間は入れないでおこう）、その時給（1時間あたりの給料）を決めてしまおう。たとえば、1000円とかさ。

　こうしたコストを合計しよう。その数字を、きみが売りたいクッキーの枚数で割る。その答えが、1枚あたりの最低価格だ。その数字を超える金額は、すべてきみのもうけになるってわけ。

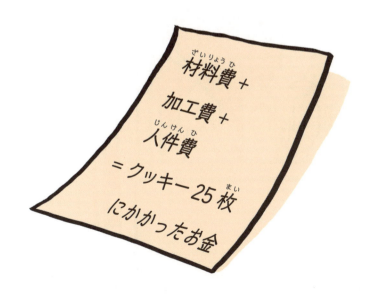

5　商品は、どうやって生まれるの？

6

商品は、どこで どうやって売るの？

き みの好きなお店ってあるよね？ お母さんの好きなお店も。ひと口にお店といってもいろいろで、繁華街のお店、おいしいチーズを売っている小さなお店、そして、なんでも売ってる巨大なショッピング・モールもある。カートを押して回る大型スーパーもあれば、ビデオゲームや音楽や映画をダウンロードできたり、宅配してくれたりするネットショップもある。

かたちはさまざまだけれど、しくみについては、どれも同じだ。ふたつのドアがある部屋を想像してみよう。片方のドアからは、生産者の商品が、出たり入ったりする。もう片方からは、客が出たり入ったりして、何があるかなと見定めて、気に入ったものを買うわけだ。

ここまではわかるかな？ 完璧だ。それじゃ、商品が出入りするほうのドアの裏側に、何があるのか見てみるとしよう。ドアに名前もつけておこうか。「流通」だ。

流通の方法

　きみが、いなかに住んでいるとしよう。きみは、家の裏にナスを植えることにした。そんなアイデアがどこから湧いてきたのかは知らないよ。ナスがすごく好きで、世界でいちばん健康的でおいしいのを育てたいって思ったのかもしれない。いや、むしろ、ナスなんてきらいだけれど、ナスを買いたいっていう友だちが、まわりにいたからかもしれない。いずれにしても、きみは「ナス・ブラザーズ」というブランドを立ち上げることにした。晩ごはんに何をつくるかでケンカばかりしているナスの兄弟って設定さ。

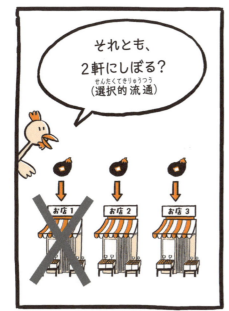
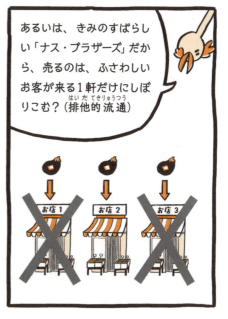

わかると思うけれど、どの売り方にも、メリットとデメリットがある。もし、きみのナス・ブラザーズがあらゆるお店に並ぶとすると、商品を見てもらって、買ってもらえるチャンスは増えるけれど、お店が増えるということは、たくさんつくらないといけなくなるし、売れのこるリスクも出てくるだろうね。

お店を何軒かにしぼりこむなら、きみの商品にふさわしいお店をねらわないといけない。だって、カブをほしがるお客さんが集まるお店だったら、話にならないよね。お店をさらにしぼって1軒にするなら、ナス・ブラザーズはここでしか買えないよって、知ってもらわないといけない。

広告のしくみ

だれかにきみのナスのことを知ってもらいたいなら、それがただのナスではなくて、はっきりした特徴があるんだとわかってもらう必要がある。きみの場合は、生産をはじめる段階で、まず名前を考えてあるよね。ナス・ブラザーズ。この名前も特徴のひとつになるだろうね。

きみがデザインしたナス・ブラザーズのロゴをよく見てみよう。感じがいいし、笑わせてくれそうだ。それに、「フォローよろしく」っていうことばが添えてあると、ついついスマホで検索したくなる。

広告ってお金がかかるものだけれど、どんな商品であれ、人に知ってもらうのに必要な経費だね。広告は、人びとの好奇心に訴えかけるものだから、人に関心をもってもらうための「興味のマーケット」とよんだ人もいる。ぼくたちは、なんでもかんでも買うことはできないし、世の中にある商品のすべてを知ることもできない。だ

から、商品が売れるように宣伝をするなら、人の注意をひくようにしないといけない。もっとズバッと言うなら、「心を射抜く」ってことさ。

広告が矢のようなものだとすれば、どの的を射止めるのか、選ばないといけないね。そして、なぜその的にするのかも考えないといけない。つまりそれは、きみの客はどういう人たちかって考えることなんだ。

きみのお客さんは、若い人？　中年？　おじいちゃん、おばあちゃんくらい？　ナスを食べるとき以外は、何をしてるんだろう？　直感にしたがうタイプ？　完璧主義者で、こだわりが強いタイプ？　新しもの好き？　伝統を重んじる？

それを見定めたら、こんどは、どんな広告の方法が、きみにとって最適かを選ぶんだ。

広告はぼくたちの好奇心に訴えかける

6 商品は、どこでどうやって売るの？

テレビCM：もう何千回と見たことがあるだろうから、どんなものかはわかるね。15秒から30秒ほどの短い映像で、番組のあいまに流れる。放送局がメジャーで、視聴率の高い番組であればあるほど、広告料金も高くなるよ。

看板広告：見る人の興味をひくようなイラストや写真、それに宣伝文句が、駅や道路沿いなんかに張りだされる。

新聞や雑誌の広告ページ：紙の新聞や雑誌なら、サイズはいろいろだけど、1ページまるごとの全面広告ってのもある。ネット広告の場合は、バナーや宣伝文句をクリックしてもらうパターンだね。クリックしたら、まんまと乗せられたってこと。

プロダクト・プレイスメント：これは、一見、広告っぽくないやり方で、ドラマや映画に多い。こんどアベンジャーズの映画を観るときには、出てくる車のメーカーに注目してほしい。映画に登場するのは、キャプテン・アメリカに運転してもらうためにお金を払ったメーカーの車だけなんだ。

ユーチューブ：ユーチューバーの動画にも、広告がうまく隠されているぞ。パッと見ただけでは広告とは気づかないけれど。きみにも好きなユーチューバーはいるよね。おおいにけっこう。でも、こんどから、よくよく気をつけて見てごらん。どんな洋服を着ているのかとか、どんな話をしているのかとか。再生回数が多い動画をつくっているユーチューバーなんかはとくに、けっこうプロダクト・プレイスメントをしているはずだ。「あの商品が最高なんだ」とか言ってるだろ？　あるていどは本音かもしれないけれど、頼まれてお金をもらって、そう言っていることもあるかもね。

インターネットの無料サービス：チャットとか、ショート・メッセージとか、メールとか、きみが無料で利用しているサービスがあるだろう？　無料アプリの場合、画面に広告が入ってくる。あるいは、どこかの会社が商品を売るときの参考にするために、きみのしていることとか、好きなものについて情報を集めるしくみになっている。

> ✕ 広告表示
>
> 服はだいたい黒？　音楽ならロック？
> だったら、ナス・ブラザーズを味見してみて。
> ここをクリック！

6　商品は、どこでどうやって売るの？

陳列のしかた

きみは、ナス・ブラザーズを店に届け、何百っていう看板に広告を出した。ウェブ動画シリーズの視聴回数は100万回。なのに……、ナスは売れない。

なんで？　健康的でおいしくて、ネーミングもばっちりだ。じゃあ、何が問題なの？　値段が高すぎる？——そうともかぎらないぞ。

問題は、お店での陳列方法や品ぞろえにあるのかもしれない。問題を明らかにするただひとつの方法は、店に確かめにいくことだ。ナス・ブラザーズはどこにある？　入ってすぐ目につくところにあるかい？　これは買ってみたいなって思えるところにあるかな？それとも、すみっこで、ほかの野菜に隠れている？

こんなふうに気をつけて見る練習をするだけで、店に並んでいるものの順番や場所には、偶然なんてないんだってわかるはずさ。

ショーウィンドーにある商品は、届いたばかりのもの。きみのおなかあたりの高さにある商品は、ほかのよりも目につくし、きみもたくさん買うものじゃないかな（だから、そういう場所に置いてもらうために、ときにはお金が支払われることもあるんだ）。つま先立ちしたり、かがんだりしないと取れないところにあるものは、カートを押してスルーしてしまうかもしれないね。

見る目を養おう。細部に目をこらすんだ。スーパーに入ったら、まず何がある？　たいていは、くだものと野菜、つまり「新鮮な」商品だね。こうすることで、あたかも店じゅうのほかのものも届きたてであるような印象をお客さんに植えつけられるってわけ。魚売り場がすみっこにあるのは、においが広がりにくい場所だから。ちょっとしたお菓子はレジのそば。そうすれば、レジで並んでいるときに、ついでにひとつ買うかもしれないよね。

お店のさまざまなタイプ

　では、お店について考えてみよう。店は、自分のところにある品物（在庫とよぶよ）の有効期限が切れるまえに、売りきってしまうように努めなくちゃならない。期限は1日とか数日とか、商品によっていろいろ。ワンシーズンで流行が過ぎるものもあれば、もっと長く続くものもある。街をひとまわりしてみると、お店というのが、いかにそれぞれ違うものかわかってくると思うよ。

　その街にしかない小さなお店もあれば、あちこちに支店をかまえているチェーン店もある。新品を販売しているお店もあれば、いちどだれかの手に渡ったものを販売するお店もある。ブックオフなら古本。古着屋なら、だれかが着ていた服。アンティークのお店なら古い家具、といったぐあいだよ。

　最近では、商品をオンラインでも販売する店が多いね。じっさいの店舗をほとんど持たず、ネットだけで商売をする店がどんどん増えているよ。アマゾンや中国のアリババがそうで、膨大な数の商品をネット上に掲載して、取引をしているわけだ。商品を探して、クリックして、住所を入力し、支払いをすませれば、何日か後には家に届く。

　別のタイプのオンラ

6　商品は、どこでどうやって売るの？

イン・ストアもあるぞ。任天堂や、グーグル、サムスン、アップルなどではデジタル・コンテンツを販売していて、支払いをすませたら、あとはダウンロードするだけ。ほかにも、商品そのものではなく、月いくらなどの定額で商品にアクセスする権利を販売するサブスクリプション・サービスもあるね。ネットフリックス、アップル・アーケード、オーディブル、スポティファイなんかの契約だと、映

お店の歴史

2000年前
ローマ

ローマ帝国の市場には、世界各地から品物が届いた。イギリスからは牡蠣、アラブからはシナモン、ウズベキスタンのブハラからは絨毯。

7500年前
トルコ

金属加工、皮革製品、料理などで商売がおこなわれていた。

3000年前
ギリシャ

ばらばらに点在していたお店が、アゴラとよばれる街の広場に集まる。

2800年前
フェニキア人

かれらは地中海で最初の流通業者になって、油、ワイン、ドライフルーツやナッツを各地のお店に届けた。

画やドラマ・シリーズ、ビデオゲーム、オーディオブック、音楽なんかを扱っている。

　毎月お金を払いつづけるかぎり、Ｔシャツを何枚も貸してくれるみたいなサービスもある。それがきみのものになることはないけど、いろんな服を着られる。どちらがいいか、決めるのはきみだよ。

1000年前 チェスター

イギリスの都市、チェスターには、ヨーロッパ最古の専門店街があった。

1890年 アメリカ

シアーズ・ローバックという、初の通信販売カタログが印刷された。

1771年 パリ

コリセーという、近代最初のショッピング・センターが誕生した。

1963年 フランス

カートを押して回る、大型スーパーマーケット、カルフールがオープンした。

6　商品は、どこでどうやって売るの？　　**61**

7
だれが値段を決めてるの？

　きみのあのクッキーも、いつか有名な商品になってほしいね。そんな願いをこめて、「銘菓バタークッキー」と名づけておこうか。あのとき、価格を決めたのはきみだった。ところが、ナス・ブラザーズの場合、値段をつけるのはお店である可能性が高い。きみがお店に対して売る値段を決めたら、こんどはお店が、お客に対して売る値段を決めるんだ。

　さて、どういうことだろう。値段を決めるのは、商品をつくる人？　売る人？　それとも買う人？

　すべてであるともいえるし、どれでもないともいえるんだ。

まず、大きく言って、商品の価格を決めているのは、マーケット＝市場だ。マーケットでは、一方に供給（商品やサービスを提供すること）があって、他方にはその需要（商品やサービスを求めること）がある。マーケットがうまく動いていれば、その需要と供給がひとりでに価格を調整していく。このマンガみたいにね。

　だから、きみが値段をつけようとするなら、みんながどれぐらいの金額なら払ってくれるのか、そして、どれぐらいの期間、その価格をキープできるか、見定めないといけない。高すぎる値段だと、クッキーは売れないだろうし、きみはマーケットにいられなくなるかもしれない。逆に、値段が低すぎると、クッキーはすぐに売りきれて、これまたマーケットにいられなくなってしまうよ。

　この法則の大事なポイントは、ほとんどの商品には、もとから決まった値段があるわけじゃないってこと。数はいくつあるのか。どこでだれが売るのか。どれぐらいの数の人がほしがっているのか。需要と供給のバランスがどうなっているか。価格は、そういう条件で決まるってわけ。

マーケットと需要

　きみもマーケットにおける需要にかかわっているよ。たとえば今日、きみには何が必要かな。そろそろ小さくなってきたから、新しい靴？　学校の新しい教材？　友だちよりさきにスター・ウォーズの新作を観たい？　でないと、ネタバレされちゃう？

　新しい靴の例を考えてみよう。

　いますぐに必要ってことなら、きみはきっと、近くのお店に見にいくよね。時間があるなら、遠くても、お気に入りのお店まで行くかもしれない。あまりお金がないなら、特売品のあるところに行くだろうさ。サイズがわかっていて、クレジットカードがあるなら、ネットで注文することだってできる。

　お母さんが、これで買ってらっしゃいと5000円をくれるかな。ひとりで買いものするのに不安がないなら、これはラッキーな話だ。お母さんぬきでお店に行って、好きなのを買えるんだもの。え〜と、ほんとうにだいじょうぶ？　値札をよく見るんだぞ。だって、5000円より高いかもしれない。ほら、6200円するじゃないか。

　さあ、どうする？　親戚みんなに泣きつくかい？　それとも、差額の1200円が見つかるまで、家じゅうの服のポケットをひっかきまわす？　あるいは、差額の1200円をまけてくれないかと

お店に泣きつく？　でもさ、そもそも、ほんとにその靴じゃない
とダメなのかな？　あきらめるのも手じゃないか？

　こういうときにきみがどんな行動をとるかが、市場に重要な影響
をもたらすことになる。

　もし、きみが6200円を手にして、お店にもどってその靴を買っ
たとしたら、靴のメーカーは、商品が魅力的で、うまく宣伝できて
いて、値段もこれでいいのだと考えることになる。

　もし、お店がきみのために値引きしてあげたとしたら、店のもう
けは少なくなるけど、たぶんきみは、つぎに靴を買うときに、また
そのお店を選ぶかもしれないよね。

　もし、きみが買うのをあきらめたら、その6200円の靴は、メー
カーに返品されるかもしれない。そうし
たら、メーカーはそのまま処分するか、
もっと安い値段でもういちど売りに出す
か、決めないといけなくなるんだ。

マーケットと競争

　需要と供給がバランスをとるには、マーケットがしっかり機能し
ている必要がある。そのためには、商品を提供する側は、競いあっ
ていないといけないんだ。そして、その競争は、同じルールと可能
性のもとでおこなわれる必要がある。

　きみのつくっている銘菓バタークッキーやナス・ブラザーズみた
いに、ぼくも「元祖」バタークッキーやナス「シスターズ」をつく
ってみるとしようか。同じお店で、同じ客に、ぼくのつけた値段で
売るのさ。勝つのはいつも、やり手なヤツだ。

7　だれが値段を決めてるの？　　**67**

逆に、マーケットに売り手が
ひとりしかいないなら、そこに
は競争がない。それは独占とい
うことだ（英語ではモノポリーと
いって、もとはギリシャ語で、「唯
一の売り手」という意味）。そう
なると、価格をかってに決めら
れるね。売れる量が多かろうが
少なかろうが、価格を決めるの
は、その唯一の売り手ってこと
になる。

公平な競争とは、だれにとっても同じルールと可能性のうえでおこなわれる

セールのしくみ

お店のショーウィンドーに「セール」と書いてあるのを見たこと
があるよね。季節の変わり目なんかに、50%オフ・セールとか、
60%オフとか。値引きしてるよってことをお知らせしているわけだ。

セール（つまり、「安売り」「大安売り」）は、お店で売れないままに
なっている商品を一掃するためにおこなわれているんだ。そうする
ことで、つぎのシーズンの商品のために、お店は場所を確保できる
からね。

それにしても、セールのしくみは、どうなってるんだろう？

きみが何かを買うとき、たとえば黄色いニワトリを買うとして、
お店に支払う金額は、お店が黄色いニワトリの生産者に支払う価格
と同じではない。

そうだな、きみがお店に1000円を支払うとしようか。その1000

円のうち、500円はきみの買ったお店に、そして残りの500円は、黄色いニワトリの生産者に渡ることになる。

　黄色いニワトリはステキなぬいぐるみだけれど、来月には赤いニワトリが登場するかもしれない。店頭に赤いニワトリがズラリと並べば、みんながそっちをほしがって、黄色いニワトリなんて、見向きもされなくなるかもしれない。さあ、どうする？

　みんなが赤いニワトリばかりをほしがってしまったら、黄色いニワトリは、もう売れなくなるよね。

　こういう状況になったときには、セールをして黄色いニワトリを、たとえ300円だろうと、200円だろうと、売りはらうほうが、お店にとって好都合なんだ。少しではあってもお金を回収できるし、廃棄するよりずっとマシだからね！

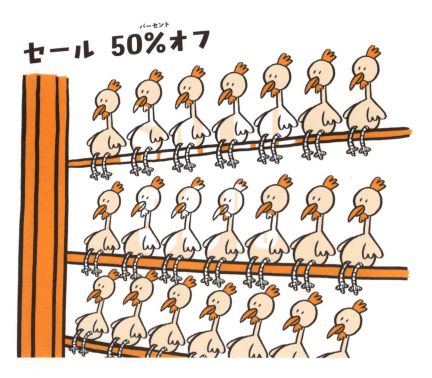

7　だれが値段を決めてるの？　　69

8

売ったり買ったりできないものは？

　どんなものでも買えるのかって？　そんなことはない。値段が高すぎるからってことじゃないよ。世の中には、販売されていないものもあるんだ。理由はいろいろだよ。みんなが使うもので、だれかのものだと言っても意味がないような場合。そういうものを公共財とよぶ。

　ほかにも販売されないものがある。目的がとてもはっきりしていて、なおかつ、利用するのが国家に限定されているようなもの。たとえば、国境。国境を売ってあげるよって言われても、きみはそこで何をするんだって話だよね。

人道的、あるいは道徳的な理由で売りに出されないものもいろいろあるぞ。その理由は、社会や時代の考え方によって変化していく。数世紀前までさかのぼれば、人間を売り買いするのは、れっきとした商売だった。

　ドラッグの一種として、多くの国で売買を禁じられているマリファナだけど、カナダでは合法的に取引されている。こんなふうに、国によって合法だったり違法だったり、とやかく言われたり言われなかったり、なんて例はたくさんある。

公共の財産（公共財）

　公共財はみんなのものだ。ぼくたちひとりひとりに、楽しんだり味わったりする権利があるってこと。浜辺や森や山の泉を思いうかべてごらん。それって、だれのもの？　きみのものでもあるし、ぼくたちみんなのものでもある。だれだって、自然のなかを歩いたり、ひなたぼっこしたりして、リフレッシュしたいもんね。

　たいていの公共財は形あるもので、みんなにとっての財産として、国や、都道府県などの地方自治体が管理している。

　公共財の例としてわかりやすいのは、道路、公園、河川、湖、海岸なんかがそうだね。

　きみは、こう思ってるんじゃないか？　みんなのものだっていう

公共財

公共財には、多くの道路もふくまれる。もし自由に通れない道路がそこらじゅうにあったら、友だちの家にも気軽に行けない。だから「みんなのもの」なんだね。消防や警察も公共財のひとつ。自分専用のものとして維持するのはたいへんだから、みんなのものだと、ちょうどいいよね。

わりには、ビーチにはだいたい海の家があって、パラソルが並んで、自由に入れないところが多いのはなぜなんだよって。

その疑問に答えると、原則的には入っていいんだよ。何か施設があったとしても、海へのアクセスは、いつだって認められているんだ。海岸というのは、だれでも、釣りをしたり、泳いだり、散歩したりできるようにしておかないといけない。海岸を自由に歩く権利がこんなに重要だったなんて、考えたこともなかったんじゃない？

海水浴場を営業している人たちは、海岸がある自治体に許可をも

8 売ったり買ったりできないものは？

らったり、そこで商売する権利をもつ人たちに権利料を払ったりしているんだ。売店をつくったり、パラソルを立てたり、寝イスを置いたり、ビーチバレーのコートを区切ったり。そういう設備を備えつけて営業する許可をもらうかわりに、浜辺の管理をまかされているのさ。

同じようなシステムが、ほかにもたくさんあるよ。どこかの水源の水をボトリングしてミネラルウォーターとして販売するとか、山の斜面でスキー場を営業してリフト券を販売するとか、高速道路を運営して利用者から通行料を徴収するとか。

場合によっては、国や地方自治体が公共財（たいていは建物や施設といっしょに）を売却することもあって、そういうときには、競売という手続きでマーケットに持ちこまれる。国が最低売却額を設定すると、購入を希望する人たちは、より高い金額を提示して手に入れようとするわけ（そうやって手に入れることを落札という）。

反対のケースもあるよ。つまり、個人のものが公共財になるというパターンだ。文豪の谷崎潤一郎が昔住んでいて、代表作『細雪』の舞台にもなった家は、1987年に神戸市に寄付された。いまでは、市民や観光客が谷崎文学の世界にふれる資料館になっているよ。

または、国や県や市が所有者に対して、何かを売却させることもある。たとえば、これから道路を通す予定の土地とかね（これは、公共事業のための「収用」とよばれている）。

無形文化財って？

　売却することも、触れることもできない公共財というものも、いろいろあるぞ。たとえば、ぼくたちのことばや方言、郷土料理や伝統なんかがそう。大事だから保存しないといけないのは、お祭りや伝統文化だけじゃない。知識や何かのつくり方もそうだし、おじいさんやおばあさん、さらにはひいおじいさんやひいおばあさんのお話だって同じなんだ。それは、ぼくたちの歴史だもの。

　こうした文化をひっくるめたものが、ぼくたちの財産になっているから、残しておかないといけないし、これからさき、だれでも知ったり語ったりするために守っていかないといけないんだね。

9

銀行は何をするところ？

　　お金のいいところは、手に入れたそのときに使わなくてもいいってこと。そのままとっておいて、役立てたいときに使うことができる。もちろん、どこに置いておいたってかまわない。財布(さいふ)のなかでも、貯金箱(ちょきんばこ)でも、ベッドの下に隠(かく)しておいてもいい。でも、あるていど金額(きんがく)が大きくなってきたら、銀行に預(あず)けることを考えたほうがいいんじゃないかな。

　銀行は、預かったお金を管理するために生まれた。きみのお金を預けて管理してもらうためには、銀行に口座(こうざ)を開かないといけない。口座にはきみの名前がついていて、お金をそこへ預け入れたり、必

要になれば、引き出したりするわけ。預け入れも引き出しも、そのつど、日付とともに記録される。こうすることで、残高（いま口座にある金額）だけでなく、きみが口座にいつお金を入れて、いつ引き出したのか、あとからでも、すべてふり返ることができるってわけ。

　ほとんどの大人がお金を銀行に預けているのには、少なくとも、ふたつのシンプルな理由がある。ひとつは、家にお金を置いておくより安全だから。もうひとつは、銀行にお金を預けつづけておけば、お礼としてお金を少し追加してくれるから。この「少しのお金」を「利子」という。

　逆に、きみが銀行にお金を借りるようなことがあれば（銀行はお金を貸してもくれる！）、そこに利子をつけて返さないといけない。じっさいのところ、銀行にお金を預けるというのは、銀行にお金を貸しているようなもので、銀行はそのお金を、またほかの人に貸しているんだ。

　利子の割合は、そのときどきで変化するんだけど、それを「利率」というよ。その利子が安いときには、多くの人がお金を借りて活用しようとする。逆に、利子が高いと、人は口座に入れているお金をあまり動かさなくなるものだね。だって、預けたお金に利子がついて増えるから。

　では、銀行は、きみに払う利子をどこから調達するんだろう？それは、お金を貸した先からと、投資先からだよ（投資については、つぎの章で話すよ）。右ページのマンガのようにね。

　もし、きみが、1年間たたないうちに、預けた1万円を引き出したら？　銀行は預かったぶんをそのまま返すか、用意してあるお金から返すか、あるいは、別のだれかの口座に預かっているぶんから

9 銀行は何をするところ？ 79

返すことになる。

こういうしくみが機能するためには、信用というものが必要になってくるよ。まず、きみが銀行を信用できること。預けた1万円を好きなときにとりもどすことができるという信用だ。そして銀行にとっては、ルチーアさんの店がうまくいって、1年後には1万300円にして返してもらえることを信用しないと、成り立たない。

銀行の歴史

5000年前

バビロニア古代王朝では、聖なる場所である神殿で、財産が管理されていたんだ。神殿や土地所有者によって、穀物や家畜の貸付もしていたよ。

1407年

中世イタリアのジェノバに、預け入れと貸付をするヨーロッパ最古の銀行、サン・ジョルジョ銀行が開設された。

1000年前

中世には、多くの修道院がお金の貸付をしていた。小切手を考えだしたのは、ヨーロッパと地中海近くで活動していた修道士たちの組織、テンプル騎士団だといわれているよ。小切手を使えば、お金を預けた場所と違う土地であっても、そのお金を引き出すことができたそうだ。

15世紀

イタリアのフィレンツェにメディチ銀行が誕生して、ヨーロッパでもっとも力をもっていったよ。ローマ教皇や、フランスとイギリスの王族にまでお金を貸すようになったくらいだからね。

1685年

イングランド銀行が、初の紙幣を発行。いまのお札みたいに、かんたんに使えるものではあったけど、金額を示す数字は、銀行員がお札に手書きしていたんだ。

1472年

現存する最古の銀行、モンテ・デイ・パスキ・ディ・シエナ銀行が、イタリアにオープンした。

1700年代前半

金額が手書きじゃない紙幣が登場。20ポンドとか1000ポンドとか、決まった金額の紙幣がはじめて発行された。

日本の銀行のルーツは、江戸時代のはじめ。当時は、金・銀・銅の大小さまざまな大判・小判や硬貨があり、それぞれを何枚と何枚で交換するかという相場もちょくちょく変わった。そんなややこしいお金の両替をしてくれる「両替商」が、やがて、いまの銀行みたいな役割もするようになって、発展していったんだ。

9 銀行は何をするところ? **81**

銀行は何をするのか

　銀行には、預けている人たちみんなのお金を管理するという重要な役割がある。だからこそ、あらゆる種類の取引で、あいだに入る仲介者になるんだ。

　こういうケースを考えてみよう。ぼくはロンドンに住んでいて、きみは東京。きみが100ポンドをぼくにくれないといけないんだけど、逆にぼくは、きみに1万5000円を渡さないといけない。直接会って100ポンドと1万5000円を交換するのはたいへんだ。そこでぼくたちは、ロンドンと東京の銀行に、「振り込み」という手続きで

ATMの9日間

　ATM（現金自動預け払い機）を見たことがあるかな？　その最初の機械は、ジョン・シェパード＝バロンによって発明され、ロンドンのバークレイズ銀行に設置された。じつはそれは、スウェーデンで同じような機械がはじめて使われるたった9日前だったんだ。ジョン・シェパード氏によれば、アイデアはチョコレートの自動販売機から思いついたんだって。

支払いを代行してくれないかと頼むことができるんだ。ぼくの口座のお金の種類はポンドだし、きみのは円だろうから、そういう場合には、銀行が、ポンドから円へ、円からポンドへと交換をしてくれるよ。

さて、銀行に預けたお金を使いたいときは、どうすればいいかな。昔ながらの方法で、銀行員のいる窓口へ直接出向いて現金を引き出してもいいし、現金じゃなく「カード」を使うこともできる。

デビットカードは、買いものをすると、口座からお金が引き落とされるしくみのものだよ。だいたいの場合、同じカードでATM（現金自動預け払い機）から現金を引き出すこともできる。その金額には、１日ごと、あるいはひと月ごとの利用限度額を設定することもできるよ。カードで引き出しや支払いをするには、数字４ケタの暗証番号を入力する必要があるぞ。

クレジットカードは、クレジット会社と持ち主との約束にもとづいて、さまざまな支払いに使えるものだよ。クレジットカードだと、銀行口座にお金が入っていなくても買いものができて、じっさいに支払うのは、少しの利息を上乗せすれば、あと払いでもかまわないんだ（まさにクレジット＝信用のカードだ）。

銀行が提供するもののなかで、もうひとつ役に立つ道具を紹介しよう。貸し金庫だ。高価なものや重要書類なんかを安全にしまっておくことができるスペースだ。

貸し金庫を契約したら、番号つきの小さな鍵がもらえる。金庫は、銀行の警備が厳重な部屋にあって、カードと鍵を使ってようや

く開けられる。金庫にものを入れるときも、ものをとり出すときも、きみは完璧にひとりきりにしてもらえる。だから、そう、金庫に黄色いニワトリを入れても、だれにも知られることはないのさ。

お金はこうして回っている

　ここらで、これまできみに語ってきた経済の世界の、ちょっとしたまとめをやってみることにしよう。

　きみには仕事があって、その仕事にはお金が支払われる。

　そのお金を銀行に預けたら、何か買いたいときに、銀行から必要なぶんだけお金を引き出す。

　買うことができるのは、マーケットに提供されているもので、お店を通じて、商品を生産する企業から入手するわけだ。

　商品を生産するために、企業は、材料を買って使う（銘菓バタークッキーの生産にとりかかったときに、やったことだよ）。

　生産するのにじゅうぶんなお金が企業にあるときには、ものごとはシンプルに進む。

　でも、クッキーではなく、もっとずっとお金のかかるものを生産しようと計画していて、そのために必要なお金の持ちあわせがないとしたら？

　たとえば、プレイステーションや任天堂スイッチよりもすぐれたゲーム機をきみが思いついて、構想を立てたとしようか。どこでで

もプレイできる代物で、Kブーンズという名前もつけたとする。

　Kブーンズを生産するためには（それも大量に生産するためには）、きみの口座にあるお金では足りないね。両親やおじいちゃん、おばあちゃん、さらにはブリジダおばさんに頼んでみたところで、よっぽどのビッグサプライズでもないかぎりは、必要なお金を集められる可能性はきわめて低い。

　こういうときに企業がよくするのは、銀行へ行って、お金を貸してくれと融資をお願いすること。79ページで見たルチーアさんと同じことだよ。お金を返すときには、利子を上乗せすることになる。

　または、きみのアイデアに「いいね！」と乗っかってくれる人に、お金を出してくれないかと頼むこともできるぞ（これを「投資」とよぶ）。ただし、投資してくれそうな人は、お金を出すかわりに、共同経営者にならせてくれって言うかもしれないね。つまり、きみの企業の成功（もしくは失敗）を分けあう仲間になるってこと。

　しっかりやれよ。なんたって、きみははじめて自分の会社をつくろうとしてるんだから。

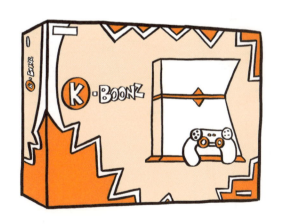

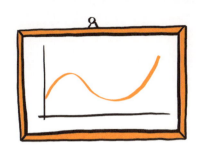

10
株式会社って、なに?

　だれかと共同でビジネスをするっていう発想は、この世界と同じくらい古いものだよ。ひとりきりでやるよりも、仕事ははかどるし、リスクを分けあえるし、問題の解決策もしっかり分析できるし、自分とは違う視点の持ち主と話しあえる。そして、共同経営者とは、会社のもうけを分けあうんだ。その分け前を「利益」とよんでいる。

　会社(カンパニー)というものが設立されてきたのは、少なくとも1553年よりまえさ。これから、会社について、とくに株式会社とは何かについて話していこう。

　会社をつくるには、「仲間」と「目的」が必要だ。会社の目的をともに追求する仲間である社員には、役割と責任と権利がある。

株式会社KBの目的は、はっきりしている。ゲーム機・Kブーンズの生産をしたいわけだ。会社を設立するには、会社の目的や所在地、構成員などを、「定款」という規則として書類にまとめないといけない。定款は、事業をはじめるまえに作成しておく必要があるよ（あとで変更することもできる）。

なによりもまず、会社をはじめるための元手（資本金）が必要だ。共同経営者のあいだで、資本金の「分担額」をはっきりさせる。

4人いて、みんな同じでいいのなら、それぞれ25％ずつお金を出しあって、会社を経営する権利を分けもつことになるね。もし、それがふたりで、きみがアイデアを出して働き、もうひとりはお金で貢献するというのなら、たとえばきみが30％でパートナーが70％、なんてぐあいに分けるわけ。会社の資本金の分担割合というのは、とても大事なんだ。プラス（もうけ）もマイナス（損失）も、この割合で定めるものだからね。

社内の役割は、いろいろあるぞ。もちろん、社長がいるよね。会社が何をすべきかを決めて、代表としてふるまう。働く人は従業員。もろもろの数字があっているかをチェックする人（経理）もいるし、会社がうまく回って目的を達成できるように舵とりする人（管理職）もいる。

さあ、こういう状況を整えて、きみたちは、株式会社KBでKブーンズを生産した。

大々的な宣伝を打って、きみたちが選んだお店に商品を出荷すると、Kブーンズを買いたい人たちが長蛇の列をなしたぞ。すごいじゃないか。株式会社KBには、わんさとお金が転がりこんでくる。生産や宣伝など、商品を売るまでにかかったお金、つまり経費を払ったら、残った利益は、はじめに決めた分担にしたがって分けあう

88

ことになるわけだ。あるいは、Kブーンズ2をつくるために、会社に再投資するのもあり！

会社が何をすべきかを決めるには、経営者（出資者）のあいだで決議をする。

新しいKブーンズをすぐにつくろうと言う人は？　ぼく、きみ、そして彼。会社の資本金のうち、きみたちの持ち分が占める割合は？　75%だ。多数を占めていることになるから、株主総会は、新しいKブーンズの開発にすぐに着手することを決めた。

株式会社では、こんなふうに進んでいく。

Kブーンズ2が世の中に受け入れられなくて、うまくいかなかった場合は、売り上げで入ってくるお金以上に支払いが多いわけで、そのぶんは出資者たちが負担しないといけなくなるぞ。

株式会社のしくみ

　2世紀ほどまえ、鉄道建設の分野で、だれかがこう思いついたんだ。事業にかかる経費をすべて共同経営者だけでまかなうかわりに、何十人、何百人、何千人で少しずつ分担してはどうかと。出資者には「株券」を受けとってもらう。つまり、事業の仲間であるという権利を証明するクーポン（株券）を渡すのはどうだろうと。

　すると、株券によって、名前も知らない、会ったこともないような出資者（投資家）たちから、お金を集めることができたんだ。こうして、かなりスピーディーに、小さな投資と引き換えに、小さな収益を見込む人たちが、何百人と見つかったんだね。

　だから、きみの会社がKブーンズつくるのに1億円必要なら、銀行に行って1億円を融資してくださいと頼むかわりに、100万人に、ひと株と引き換えに100円の投資をお願いする方法もあるぞ。

　やがて、Kブーンズが成功して、会社に10億円の利益が転がりこんできたら、会社に投資してくれた株主みんなに、そのお金を分けあわないといけないぞ。その分け前のことを配当金とよぶんだ。（現実には、会社がいつも利益の全額を分配するわけではない。たいていの場合は、利益をつぎの事業に再投資したうえで、分配しているね。）

　会社という発明がまったくもって革命的なのは、この世界にごまんとある会社の成功（あるいは失敗）にかかわりたいと思えば、だれでも、今日にでもできるということ（自分の会社をもっていなくてもね）。

　その方法はかんたん。会社の株を買うことだ。

　かりに、きみが、ABC株式会社の株主だとしようか。1億円の価値の会社のひと株を100円で買ってみたら、10億円の利益が出た場合、ひと株の価値は10倍になったことになる。それはまだ、き

みのもの。ここ数年のうちにさらに配当金がもらえると考えるなら、そのまま持っておいてもいいぞ。それとも、10倍にまでふくらんだんだから、売ってしまうほうがいいかな？

きみにも想像がつくと思うけど、株式というアイデアは大成功を収めた。会社をやりくりするために必要なお金（資本）をぜんぶ自分で調達するかわりに、それを細かく分けて、株という商品として市場に売りに出せるわけだね。

さらに、会社の生みだす利益とはまったく別に、株はそれじたいを株式市場というマーケットで売り買いできるものになったんだ。

株主たちのマーケット、株式市場は、そうやって生まれた。

数字の話

1980年代まで、投資家がどこかの会社の株式を売らずに持っておく平均期間は5年だった。それがいまでは、5か月になっている。社会と情報のスピードが、それだけ速くなったってことだね。

株式のマーケット

株式市場はつまり、いろんな会社の株が取引される場所のこと。世界中の会社の成功にも、悲劇的な失敗にもかかわることができる。そんな可能性を秘めた場所さ。

株式市場の価格の動き方というのは、7章（64-65ページ）で見たマーケットのしくみと同じ。違うのは、売り買いされるのがトマトやクッキーじゃなくて、会社の資本の一部分だってことだね。それでも、クッキーのマーケットと同様、ここでも、需要と供給のバランスで価格は変わっていく。それは、ときに目まぐるしいくらいにね。

スピーディーな情報収集が得意だったり、単純に運がよかったり

すれば、株の売買で、きみはかなりの利益を得ることができる。逆に、あっというまに、そうとうな金額を損することもあるぞ。
　株というのは自由に売り買いできるわけだから、理論上は、どんな会社の株でも、好きなだけ買うことができる。ある会社の株を一定以上の割合できみが所有すれば、その会社にとって影響力のある重要な存在であることを意味するぞ。とはいえ、そうした存在の多くは創業者だね。フェイスブック社（現在はメタと名前を変えた）のマーク・ザッカーバーグとか、ソフトバンク・グループの孫正義なんかがそう。

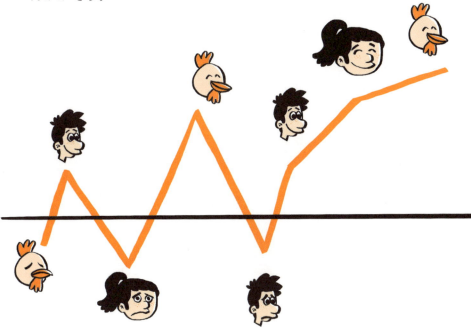

世界中にある株式の取引所

　世界で動いている株式市場はたくさんある。ヨーロッパでもっとも重要なのはロンドン証券取引所で、1801年に設立されたよ。世界でもっとも影響力をもつのは、1817年設立のニューヨーク証券取引所と、1971年に設立されたもうひとつのアメリカの市場、ナスダックだ。ナスダックには、ハイテクやITの新しい企業が集まっている。

　日本でいちばん大きいのは、東京証券取引所というマーケットで、東証と略してよぶことが多いよ。（会社の株は「証券」ともよばれる。）

　かつての株式市場では、ブローカーとよばれる投資家の代理人たちが広いフロアにたくさんいて、投資家の注文におうじて株を売り買いしていた。投資家たちはブローカーにじゃんじゃん電話で指示を出していたものさ。あっちで「フィアットを100株買いで！　フォードは1000株売り！」なんて叫び声が聞こえたと思えば、こっちでは「ルノー、ルノーを売るよ！」ってなぐあい。いくら売れて、いくら買われたかによって、株の価格（株価）は上下するんだ。

　いまは、投資家が、ネットを通じて、証券会社に株の売り買いを指示しておこなう取引が、かなり多くなっている。各証券取引所は、大量の注文をスピーディーにさばけるコンピュータのシステムをつくることに、力を注いでいるよ。

ココ、コケ、コウニュウ！

株式市場のプレーヤー

どこの会社の株を買うかを、どうやって選ぶ？　どの株が上がって、どれが下がるか、どうやってわかるの？　株の値段（株価）がどう動くかは、予測できるの？

答えは、イエスでありノーだ。予測できるともいえるし、できないともいえる。

こうした質問への答えは無数にあって、それがまさに株式市場がゲームであるってことなんだよね。なぜって、すべてのゲームと同じように、冒険や危険、つまりリスクというものがあるから。

きみがつねに正しい判断をするとはかぎらないし、どれぐらい冒険好きかにもよるんだよね。性格にもよるし、過去のデータの分析から予測できる部分もある。

株式市場というゲームのプレーヤーには、個人もいれば、組織もある。きみみたいな個人がするプライベートな取引もあれば、国がどこかの会社の株を買うこともある。

投資ファンド（たくさんの投資家からごっそり集めた資金を使って戦略的な投資をおこない、利益を投資家に分配するしくみ）や、年金ファンド（将来に年金を支払うために利益を生みだすことを目的にお金を集めるしくみ）ってのもある。そしてもちろん、とにかくもうけたくて、株を売り買いする人たちもいる。

念押ししておくけど、どの立場の人にも、リスクはあるぞ。

10　株式会社って、なに？　95

11 経済成長って、なんだ？

　経済が成長すれば、人びとや社会が繁栄して豊かになるっていわれる。産業革命を出発点にすれば、人びとの生活状況はじっさいのところ、たえまなく改善してきたよ。

　経済が成長するとは、ようするに、お金がどんどん増えていくということだ。それは、教育の充実や健康状態の改善につながり、ひいては寿命が長くなること、さらには世界の人口が増えることにもつながる。

　でも、経済が成長するにつれて、公害が増えたことも事実だし、地球の資源はけっこうムリヤリに開発されてきた。成長にも限界があるから、ものをたくさんつくって、たくさん捨てるのはやめようという「反成長」モデルを提案する人も増えてきている。つまり、環境に深刻なダメージを与えないライフスタイルを採用しようというわけ。

　大事なのは、地球が壊れないやり方で経済を成長させること。い

くら、世界中の人たちがお金をもっと手にすることができるように
なっても、この地球という星に住めなくなってしまったら、どうし
ようもないよね。もっと持続可能な方法でものを生産することはで
きるし、もっと持続可能な方法で消費をすることもできるんだ。

　きみにも、すぐにできることがあ
るぞ。商品がどうやって生産されて
いるのか、調べたら情報が得られる
よね。地球の資源をどれくらい使っ
ているのかとか、どんな労働条件の
もとでつくられているのかを知った
うえで、買う商品を選択して、マー
ケットに影響を与えることができる。
　しかし、経済成長ってのは、何を
もとに、正確に成長といえるんだろ
う。成長しているって、どうやって判断できるんだろうか。

　クラクラしてくるね。しっかり！　ぼくたちはいままさに、世界
的にいつも議論の的になる数字を明らかにするところなんだから。
それは、GDPさ。

大事なのは、地球にとって持続可能な経済成長であること

重要だけどややこしい尺度、GDP

　GDP（Gross Domestic Product）は「国内総生産」ともいわれ、
１年間に国のなかで新たに生みだされたモノやサービスすべてを、
お金の価値に換算したもののこと。国の経済の健康状態を測るため
のものといえる。

　でも、その計算はとても難しい。いちばんシンプルなのは、その

国で提供された商品やサービスの価値を合計する方法。この場合には、生産に使われる材料代や燃料代は計算に入れない（たとえば、メガネの価格にはすでにレンズ代がふくまれているから）。

　ほかの計算方法として、アルバイト代や月給、企業の収益、収められた税金など、国内で計上されたいろんな収入をすべて合計するという方法もあるぞ。

　GDPは国ごとに出されるわけだけど、国をまたいだ生産やサービスについては、さらにややこしい。たとえば、フィンランドのメーカーがイタリアで生産した冷蔵庫は、イタリアのGDPに組みこまれ、フィンランドで開かれたイタリア人によるイタリア語講座については、フィンランドのGDPとして計算される。

　さらにいえば、すべての活動がGDPにふくまれるわけでもない。いちばん議論をよぶのは、家庭内労働だよ。家の掃除とか、皿洗い、アイロンがけ、料理、子育て、お年寄りや病人のケアといった、家庭のなかでおこなわれていて、たいていは女性が担っているような、賃金の発生しない労働が、計算にはふくまれていないんだ。

GDPはなんの役に立つの？

　GDPは、あまりにも大きな数字だし、あるていどざっくりとしたものだ。その国の健康状態をつかんで、今後を予測するための指標となる数字なんだよね。計算方法は世界中で共有されていて、モノやサービスを生みだしたり売り買いしたりする力を、国ごとに表すことができる。もっとも大事なことは、毎年計算すること。そうすることで、経済の動きについてのデータを中長期的に把握していくことができるんだね。

　ある国のGDPが成長しつづけているなら、豊かさのレベルも成長しているって推測できる。つまりは、その国の経済は発展しているってこと。

　一般的な基準としては、年3％の成長率があれば良好とされている。成長率が6％を超えるような場合には、「奇跡だ」って言われるだろうね。

物価を調べる

　ものの値段（物価）がどれくらい上下しているかを調査するのも大切なんだ。貨幣価値に大きな影響を与えるからね。

　あまりに急激に物価が上がる状態を、インフレーション（略してインフレ）という。たとえば、先月、100円で買えたものが、今月は300円出さないと買えなくなってしまうような状態だ。

　物価の変化を調べるには、代表的な品物を選んで、月ごとや年ごとに、その値段が上がったか下がったかを見ていく。品物には、毎日の暮らしでみんながよく買うものを選ぶんだね。

　毎日食べる生鮮食品なんかが、代表的なものだ。どこかの秘境に生息するといわれる、超音速で飛ぶハチのはちみつを使ったスイーツなんてのは、入らないぞ（まあ、そんなハチはどこにもいないだろうけどさ）。水着は入るだろうけど、ライフルつき水中メガネは入らないな。ま、だいたい、わかるよね。

暮らしの満足度と幸せの指標

　国の経済状況を示す指標は、GDPだけじゃないよ。とても興味深いものに「より良い暮らし指標」（Better Life Index）というのがあって、経済的な側面だけでなく、人びとの幸福度や満足度も豊かさとして測っていこうという提案なんだ。

　住宅・所得・教育・環境・健康など、11の項目で評価する。人はなにも、ものを買うときにだけ幸せを感じるわけじゃないからね。そして、ものを買えば買うほど幸福度が上がるわけでもない。お金はたしかに大事だけれど、よくいわれるように、幸せはお金では買えないってわけ。

　より良い暮らし指標のサイトは、ネットでかんたんに見つかるし、11の項目について、何をどのくらい大事だと感じるかを6段階で評価すれば、きみだって自分の指標をつくることができるぞ。

イノベーションが成長の秘訣

イノベーションというのは、これまでとは違う変化に富んだアイデアや方法で、人と資本を結びつけることだ。

それは商品のアイデアかもしれない。（たった30年前、携帯電話をみんなが買うようになるなんて、だれも言ってなかったよ。）

または、配給のアイデアかもしれない。（映画館へ行くこともなく、自宅でシリーズものの映画を観られるようになるなんて、だれも言ってなかった。）

あるいは、ブランドのアイデアかもしれないね。（ぼくらはどうしてみんな、あの「すみっコ」が好きなものたちに夢中なんだろう。）

だいたいにおいて、新しいアイデアってのは、もともとあった別べつのアイデアを組み合わせた結果、生まれてくるものだ。

スティーブ・ジョブズはコンピュータそのものを発明したわけじゃない。エジソンが電球を発明したわけじゃないのと似たようなことさ。天才的な仕事というのは、天才的な仕事をいくつも組み合わせることで実現しているんだ。

研究の分野で働いている人（研究者）は、さまざまな理論や方法を組み合わせて、まったく新しい技術とアイデアを生みだそうとしている。その成果が、やがて、マーケットに出てきみに届くこともある。

研究者になるには、研究する分野についてよくよく知る必要がある（たとえば、医療の研究者と土木のエンジニアがめざすものは同じじゃない）。しっかり勉強しておく必要があるし、頭のなかにあるものを総動員するには、それなりの時間もついやすことができないとね。

アルバート・アインシュタイン（物理学者）は、スイスで妻や友人となが〜い時間をかけて散歩しているあいだに、相対性理論を発

11 経済成長って、なんだ？ 103

見した。こんなふうに、イノベーションを起こすには、大小さまざまな発見が必要だ。ジョルジュ・デ・メストラル（工学者）の犬たちの毛に野生ゴボウの実がくっつかなかったら、ぼくたちがマジックテープを使うことはなかっただろうよ。

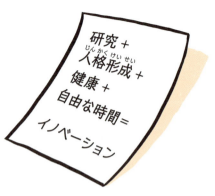

貼ってはがせるのりがなければ、付箋（ポスト・イット）は生まれなかっただろうしね。

　そんなイノベーションが、経済を成長させる。イノベーションを起こすには、アイデアを実現するための技術が不可欠だ。そのためには、かなりの大金を「研究と開発」につぎこまないといけない。お金をかけて投資する必要があるんだよね。

　経済の健康診断をするには、その国がGDPのうち何％ぐらいを研究と開発に投資しているかを見るのがとても重要だ。投資がうまくいっていれば、どの国だって成長できるし、成長している国どうしなら、たがいに支えあうこともできるだろう。

人

資金調達

イノベーション

国が出す研究費

　イタリアは、ヨーロッパのなかでも、研究と開発にかける予算が少ない国なんだ。よりお金を出しているのは企業のほうで（全体の68.5％を占めている）、そういう企業は大きな街のある、たった5つの州に集中している。バランスが悪いね。

　一方、日本の研究開発費の額は、世界の主要国のなかで、アメリカ、中国についで3位（2018年の統計）。ただし、大学向けの研究開発費の伸びでは、アメリカと中国に大きく差をつけられているよ。

11 経済成長って、なんだ？

12

お金がないって、どういうこと？

こまではお金を生みだす話をしてきたけど、じゃあ、お金がないっていうのは、どういうことなんだろう。それはつまり、貧困（貧しさ）ついて考えるということだ。

食べものが買えなかったり、住むところがなかったり、人が生きていくうえで最低限、必要なものも持てないような状態を「絶対的貧困」といっている。

一方で、なんとか生きてはいけるけれど、その国の生活や文化の水準からみると、かなり苦しい状態の人たちもいる。そうした状態を「相対的貧困」とよんでいるんだ。たとえば、仕事へいくときに着るシャツは、直接いのちにかかわるものではないけれど、シャツ1枚すら買うお金がないというのは、相対的貧困だといえるね。

107

社会のエレベーター

教養があるか、能力があるか、運があるか、とびぬけた才能があるか、世渡りがうまいか。そうしたこととまったく関係なしに、金持ちになるか、貧乏になるかが決まってしまうことがある。

金持ちの家に生まれれば、能力不足でも金持ちになれる可能性が高いだろう。貧乏な家に生まれていたら、教養を身につけても貧乏ということはある。

だから、貧しい人がお金持ちになれる可能性がなければならない。それがつまり、「社会のよいエレベーター」があるってことなんだ。その可能性がないんだとしたら、金持ちと貧困に苦しむ人との格差は深刻化するよね。それは強烈な不平等だ。

経済的不平等は、ろくでもない問題だよ。しっかりと働ける人の数を減らしてしまうし、資金調達をする人の数も、さらにはイノベーションを起こす人の数も減らしてしまうんだ。

社会のよいエレベーターを生みだして、不平等を改善するには、たくさんのやり方がある。

こんなことを言う人がいるよ。貧しい人の暮らしを引き上げるためには、利用できるサービスを改善すべきだってね。無料で提供される教育・食事・医療を増やして、貧しい人をしっかり支援する組織なんかが、もっと必要だっていう意見さ。

もっと直接的な解決法を主張する人もいるぞ。貧困

数字の話

ヨーロッパでは、人口の10%の人たちが、その国全体の収入の37%を独占している。北米だと、10%の人が収入の47%を独占し、中東では10%の人が収入の61%を独占している。

の問題は単純にお金を持っていないということなんだから、お金をあげればいいのだと。そして、かれらに有効な使い方を教えればいいんだってね。

150ドルと5日

経済学者のクリストファー・ブラットマン教授は、アフリカ、ウガンダ共和国のとても貧しい女性たち900人に150ドルを与え、そのお金でどんなことができるのかを学ぶ、5日間の研修もおこなった。

そのうえで、お金は自由に使ってもらってかまわないことにしたんだ。すると、1年半のあいだに、彼女たちの収入は倍になったという。

貧しいことは罪じゃない

「貧困って、あるていどはしかたのないものだよね」なんて、きみには思ってほしくない。なくすことはできないとか、世の中そういうもんだとか、そんなふうに考えてはいけない。あと、本人が優秀なら、意志が強ければ、賢ければ、貧困なんて抜けだせるって発想も、よしてくれ。

そういう考え方はワナなんだ。だって、そんなことを言っちゃったら、貧困から抜けだせない人は、自分がダメなんだ、意志が弱いんだ、頭が悪いんだって思いこんでしまうよね。ようするに、なんにせよ、貧しいのは自分のせいなんだって。だから、変わるべきは自分なんだって、きっと信じてしまうよ。

いちど、立ちどまって考えてみよう。

人生で何を成しとげるか、その責任は、まずきみにある。きみは

きっと、くり返しそう言われてきたよね。ズバリ、そのとおり。きみは、きみの人生の責任者だ。でも、唯一の責任者ではないんだ。

貧しいせいで満足に食べられないとしたら、身体の成長にきっと問題が出てくるよね。リオネル・メッシを思いうかべてみなよ。彼は自分が育ったストリートでバルセロナのサッカー・クラブに拾ってもらって、チーム・ドクターたちから食事療法と特別な支援を受けていなければ、年収世界一のサッカー選手にはなっていないよ。彼の才能がどう見てもすごかったからこそ、支援を受けられたことも事実ではあるけどね。メッシの場合、サッカーの才能が灯台になった。でもね、そのあかりを見つけてもらえたのは、たんに、とても運がよかったからだけなのさ。

きみの住んでいるあたりに、ひどい学校しかなかっ

数字の話

世界中で、貧困にあえいでいる人は、2019年の時点で13億人にものぼるんだ。その多くはアフリカ大陸のサハラ砂漠より南のエリアと、南アジアに集中している。ただ、比較的豊かとされる先進国にも貧しい人たちはいて、それも大きな問題になっているよ。たとえば、日本だと、2018年の時点で15.4%、つまりだいたい6人にひとりが貧困状態にある。

12 お金がないって、どういうこと？

たら、どうなる？　まともな学校で教えてもらうべきことを、きみは運悪く学べないかもしれないね。

　きみの家には車がなくて、バス路線がしっかり整備されていなかったら、自家用車のある人みたいにすばやくは動けないよね。

　こうした障害をかたっぱしから乗りこえられたとしても、不平等がはびこる世界に生きていると、別の障害にぶちあたることになる。

　こんなことになると、社会のエレベーターは止まってしまう。エレベーターが止まれば、社会のお金の流れも鈍くなる。お金がうまくいきわたらなくなるんだね。するとこんどは、やがてその国の人びとの繁栄にも支障をきたすことになってしまうんだ。つまり、貧困は社会全体の問題なんだよね。

貧困をなくそう

　より平等で、貧困のない持続可能な世界をめざすという目的のために、国連は2015年、「持続可能な開発目標」＝SDGsをまとめた。そこには17の目標が定められているんだ。

　世界の150を超える国と地域に課せられたこの使命によって、すでに何百万人もの暮らしを改善してきているよ。

112

バタークッキーの事業化をめぐるふたつの例

金持ちの場合

　晩ごはんを食べに1階へ下りると、きみの両親の元・同級生が3人、遊びにきている。バタークッキーの話をきみがすると、ＩＴ企業で働いている男の人が、ネット販売を手伝ってくれるという。銀行を経営する女の人は、ネットショップ用の銀行口座を開設してくれるんだって。3人目のF1レーサーは、自分のお金で、クッキーの広告をサーキットに出してあげると言ってくれた。そして帰るまえに、3人全員がきみのことをほめて、クッキーを買ってくれたよ。

貧乏な場合

　晩ごはんを食べに1階へ下りる、なんてことはないね。だって、そもそも2階がないし、きみの部屋なんてないから。家には部屋がひとつしかないんだ。それに、毎晩かならず晩ごはんが食べられるってわけでもない。きみの両親も、その友だちも、夜遅くまで働いている。

　きみはバタークッキーを販売することなんて、思いついてもいない。だって、目下の心配は、いまはいている靴がだんだん小さくなってきて、新しい靴を買えるかってことだからね。もしバタークッキーのことを思いついていたとしても、家にオーブンがないから、自分でつくってみたこともない。いずれにしても、小麦粉やバター、砂糖を買うお金がない。でも、F1は好きだから、グランプリ中継が見たくて電気屋さんには行くよね。店員さんに目をつけられて追いかえされるまでは。

12　お金がないって、どういうこと？

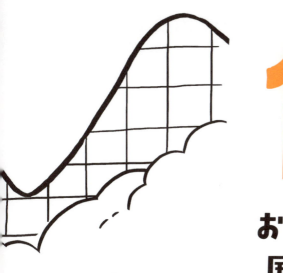

13

お金についての国の役目は？

🗾 書館の人に本を探してもらったり、おまわりさんに道を聞いたりしたこと、ないかな？　住民票を受けとりに役所へ行ったことはある？　ごみ処理センターの見学にいったことは？　海外へ行くときに、空港の係の人にパスポートを見せたことは？　もしひとつでも経験したことがあるなら、きみのいる国は、きみの面倒をみているということだよ。

　国の役割は、ずっと同じというわけではない。いろんな条件や要因と、国民の選ぶ政治によって変わってくるんだ。きみの会社の仲間を覚えてる？　Kブーンズの共同経営者だよ。そう、国民はみんな、その国の共同経営者ともいえるんだ。

18歳になっていれば、投票にいくことで、政治家を選ぶ権利がある。自分たちが大事だと考える目標を達成してくれと、その人に願いを託すわけ。（日本では、投票ができるのは日本国籍をもつ人と法律で決められているけれど、国内に住む外国籍の人が投票できる国もある。）

市民の暮らしや経済にほとんど口出ししない国もあれば（アメリカ、カナダ、オーストラリア、イギリスなんかがそうだ）、逆に、いろいろ面倒をみたがる国もある（北欧の国々がそうだよ）。

市民は国の共同経営者だ。選挙は意見を伝える大切な手段

面倒をみたがるというのは、「福祉国家」の度合いが高いということ。ノルウェー人はアメリカ人よりも、ずっとたくさんの税金を払ってる。そのかわり、病気になったら、その人が貧しくても金持ちでも、同じように治療を受けられる。つまり、ノルウェーはアメリカにくらべて、税金は高いけど、福祉の充実した国ってわけ。

日本は、このふたつのモデルの、だいたい中間くらいかな。集めた税金の使いみちとしては、医療、年金、介護、教育、安全、公共物の管理などなどって感じかな（それから、国の借金の返済にも！）。

こうしたことのために、国はおおぜいの人に仕事をしてもらっているよ。その人たちは、国や地方自治体から給料をもらっている。公務員というんだ。学校の先生、国や県や市の役所で働く人、消防士、警察官、自衛官などだね。

かれらの仕事は、その国に暮らす人びとのためのサービスってこと。かれらが仕事をするのは、きみのためでもあるってこと。

きみと国の役割の関係を下の図のようにイメージしてみよう。

中央銀行の役割

　国をかたちづくるいろんな組織のなかで、お金にかかわる興味深いものがある。中央銀行だ。日本の中央銀行は「日本銀行」（日銀ともいうね）という名前。

　中央銀行は、ふつうの銀行とは違って、市民は使えない。国内にある「すべての銀行の銀行」みたいなものなんだ。国内に流通しているお金の量をチェックして、その価値が安定しているかどうか、目を光らせている。ほかの銀行とは違って、商業的な目的はないんだ（もうけたりしてはダメなんだね）。

中央銀行のいちばん大事な活動は、「金利」を調節すること。

9章で、お金を銀行に預けるとか、銀行からお金を借りるとかって話をしたときに、「利率」ってことばが出てきたのは覚えてるかな？　利率は、そのときどきで変化するって言ったけど、上がるのか下がるのか、その変化を調節するのが、まさに中央銀行ってわけ。

中央銀行には、ほかにもまだまだ役割がある。紙幣や硬貨を発行する（つまりお金をつくる）のも中央銀行だ。ほかの銀行の活動に目を光らせる役目もある。利用するお客さんが大損するようなリスクの高すぎる取引をしていないかとか、経済状況について正しい情報を伝えているかとか、そういうことを監視しているんだ。

国境を越える商品のルール

きみがお店で買ってきた商品のラベルをよく見れば気づくと思うけど、じつにたくさんの商品が、ほかの国、世界のあちこちからやってきている。

もし、きみがバタークッキーを海外で売ろうと決めたのなら、商品を輸出しなけりゃならない。反対に、クッキーの生産のために、マダガスカル産の極上のバニラが必要なら、きみはそれを輸入しなけりゃいけない。

国境を越えて商売をする場合には、なんでも自由に輸出したり輸入したりできるってわけじゃないよ。国どうしが決めた、売買に関するルールがたくさんあるからね。それらをひっくるめて貿易協定といって、売り買いできる商品の種類や量、輸入するときにかかる関税の税率、禁止項目などが決められているんだ。

たとえば、アメリカでは、イタリアのフェレロ社が生産している

有名なチョコレート（キンダーサプライズ）は、販売が禁止されている。卵型のチョコレートのなかにカプセル入りのおもちゃが入っているやつだ。アメリカでは法律によって、食品のなかに食べられないおまけを入れてはならないと決められているんだよ。

山のなかの国境問題

　2度にわたる世界大戦のあいだ、イタリアとフランスは、山のなかの国境線をどこにするかで、かなりもめたんだ。とくに争ったのが、ヨーロッパでいちばん高いビアンコ山（フランス人はモン・ブランとよんでいる）の国境線だった。

　この問題はまだ解決していなくて、イタリアとフランスそれぞれの地図を見れば、それがわかるよ。国境の位置が違うんだ。

13　お金についての国の役目は?　119

国の経済状態を測るもの

　国の経済がうまく機能しているかどうかを理解しようと思ったら、たくさんのバロメーター（基準となる指標）があることを学ばないといけない。国の経済状態をみるためのバロメーターには、こんなのがあるよ。

14

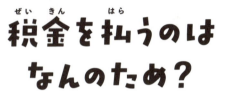

税金を払うのはなんのため？

　ず伝えておくけれど、お店でレシートをもらうたびに、きみも税金を払っているんだ。消費税のことさ。買いものをするときに、そのモノやサービスの値段に対して、いまの日本なら、8％か10％を税金として支払わないといけない。

　消費税というのは、大人も子どもも、お金持ちも、そうでない人も、みんなが同じ割合で払うものだから、暮らしがラクでない人には負担が大きくなる。だから、生活に欠かせない食べものや飲みものを買う場合は、8％となったんだ。ほかのものは10％。

　きみがゲームをダウンロードして買うたびに、そのお金の一部が

国への税金になる。電車や地下鉄の運賃も同じこと。きみはサービス料に加えて10%の税金を払っているってわけ。

税金を払う意味

税金にはいろいろあって、計算のしかたも、かなり複雑。いまのところ、「所得（稼いだお金から必要経費などを引いた金額）におうじて決まるものが多い」ということを知っておけば、じゅうぶんだよ。もうければもうけるほど、税金の支払いも多くなる。

じっさいのところ、自分のことだけを考えていたら、税金を払うことの大切さを理解するのはとても難しい。とくに、生活に不自由がなくて、健康で、家族みんながきみを支えてくれているなら、なおさらだ。

あ、違うや！　きみはバタークッキーをつくるのにもう苦労しているし、それを売ってもいる。だから、売り上げからすでに税金を持っていかれてるもんね。それに、Kブーンズを国内で生産することにしたわけだから、その所得にいたっては、4分の1くらい国に渡しているもんね。わざわざ税金が安い国でつくったわけじゃないだろう？

でも、じつは税金があるからこそ、きみはクッキーをつくって売ることができている。Kブーンズについても同じことだ。きみがおいしいクッキーを生産できたのは、小麦粉やバターや砂糖を、税金によって支えられている公的な機関が検査しているからであって、そうした材料が安全だと証明したからなんだ。

また、きみの会社がKブーンズをヒットさせることができたのは、みんながKブーンズをインターネットにつないで遊びまくっ

124

ているからだけど、全国にはりめぐらされた光ファイバーケーブルの設置にも、税金による補助金がよく使われているんだ。

国によって税もいろいろ

　ウガンダ共和国には、2018年以来、SNS税があるぞ。日本のラインみたいなワッツアップ、インスタグラム、フェイスブックを使うと、1日あたり500シリング（約6円）の税金がかかるんだ。
　ベネズエラでは、空港の空気清浄機のエアフィルターの利用税として、127ボリバル（約2500円）かかる。デンマークでは、乳牛が排出する二酸化炭素に対して、1頭あたり100ユーロ（約1万3000円）を払うことになっている（家畜に税金をかける考えは、EUのほかの国にも広がっているぞ）。
　イタリアには、看板や店先のひさしが公共の土地に落とす影に対する税金があるし、キノコ採取税もあるよ。もう閉鎖された原子力発電所の廃炉のための基金もある。

いつかきみも、ふと思うことがあるだろう。ほんとうに自分の払っている税金は、うまく使われているのだろうかって。
　たとえば、家庭をもって、子どもを育てるようになったとき。商売がうまくいかなくなったとき。あるいは、きみの家族が病気になったり、亡くなってひとりきりになってしまったとき。
　街の住み心地はどうよ？　学校はどんな感じ？　幼稚園は？　老人ホームは？　病院は？　仕事がなくなった人への助けはある？　いい感じの図書館は？　ひと息つける公園はある？
　こうした質問に「イエス」と答えられるなら、それは、国が税金をうまく使っているってことさ。もし答えが「ノー」なら、それはつまり、うまく使えていないってことだ。

環境汚染に対する税金

　環境税って聞いたことあるかな？　地球温暖化の原因となる二酸化炭素を空気中に出すと、お金を払わないければいけないしくみで、たとえば、電気・ガスやガソリンなんかにかかるんだ。

　ほかにも、地方によっては、森林や水源を守るために独自の地方環境税を導入しているところもあるよ。ようするに、環境を汚染すればするほど、税金を多く払わなければならないし、生産に必要なお金がたくさんかかるってわけ。

税金の使い方を選ぶには

　ところで、国のお金の使いみちって、だれが決めているんだろう。答えは、みんなだよ。きみも18歳になれば投票ができるから、やがては決めるひとりになる。

　投票によって、きみは自分の代弁者を選ぶことができる。立候補した人たちの政策を見くらべて、これはという人を選ぶことで、きみが大事だと思う提案を実行したり、いいお金の使い方につなげたりするわけさ。

　たとえば、きみが医療と教育の分野を改善すべきだと思って、一票を投じたとしようか。それでじっさいに医療や教育がうまく機能するようになったなら、それは国が税金をじょうずに使ったということになる。あるいは、逆もあるよね。そしたら、こんどは、税金をもっと効果的に、節約して使うことができそうな考え方の人に投票するとしようか。

　いずれにしても、きみには選択してチェックする力があるってことさ。

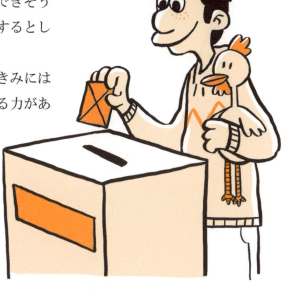

15
グローバル市場って、なに？

70年もまえのSF小説に、『宇宙商人』というものがある（フレデリック・ポール、C・M・コーンブルース著）。この物語のなかでは、ビジネスマンが宇宙船に乗って星ぼしをめぐりながら、驚きの商品を買いつけては売りさばいていく。もし古本屋さんで見かけたら、迷わず買ったほうがいいね。この最高の小説は、国どうしが国境を越えてどんどんつながっていく「グローバリゼーション」とか、地球規模の大きな経済活動である「グローバル市場」について話したり考えたりするのに、いまでもピッタリだから。

宇宙商人たちにとってみれば、地球なんて結局のところ、たいした問題じゃない。だって、宇宙全体で商売ができるわけだから。そして、ぼくたちがいま生きるこの世界にも、同じようなことがいえるよ。

人やものがどんどん国境を越えるようになって、地球はどんどん「小さく」なっているし、勇気とお金がちょっぴりあれば、何をするにも、だれにとっても、可能性は広がってきている。それは、コンピュータや交通機関をはじめとする、テクノロジーのおかげだよね。

　何千キロも離れたところにいる人と顔を見て話すことができるスマートフォンなんて、まさにそうだよね！　海外のスポーツイベントだって観ることができるし、行けない国のニュースを読むこともできる（インターネットが禁じられている北朝鮮のような国のニュースですら読めるもんね）。

　クリックひとつで、どんなものだって届けてもらえる。クリックふたつで、どんなものでも、だれかに送れちゃう。

　何かをするのにお金が必要な人にとっても、世界はガラッと変わったよ。**クラウドファンディング**を利用して、きみのアイデアを広く伝えることで、世界のあちこちから、少しずつお金を集められるかもしれない。

　地球はどこもつながっていて、人びとはみんながみんな、距離が近くなった。それはマーケットも同じこと。テクノロジーが進化したことで、情報・人・もの・お金が、国や地域の垣根を越えてどんどん移動して、地球規模でのつながりが増している。これを「グローバリゼーション」とよぶよ。インターネットの発達で加速した部分が大きいね。

　もちろん、世界がグローバルにつながるっていうのは、いまがは

クラウドファンディング

英語でクラウドとは民衆、おおぜいの人のこと。そして、ファンディングは出資のこと。だから、日本語に訳すとするなら、「おおぜいの人から出資を集めること」になるかな。

じめてじゃないぞ。ローマ帝国、スペイン帝国、中華帝国、大英帝国といった、あちこちの帝国の時代に、すでに似たことは起こっていた。そして、現在が最後でもないだろう。

　グローバル化した世界に生きるというのは、へたすりゃ悪夢になるかもしれないし、むしろ途方もないチャンスかもしれない。

　感染症を例に考えてみよう。交通機関の発達のおかげで、病気はこわいくらいのスピードで広がってしまうかもしれないよね。たった数日で、パンデミックといわれる世界的流行を引き起こしてしまうかもしれない。でも、それと同時に、コンピュータのおかげで、治療法を探る科学者たちは、国をまたいでデータを共有できる。治療法が見つかれば、それをすばやく人びとに伝えることもできるわけだ。

　グローバリゼーションには、とんでもなくたくさんの要因がある。知ったところでコントロールできない要因もあるけれど、少なくともそれがどんなものか知ろうとすることはできる。いや、だれかにやってもらうんじゃなくて、きみも自分の頭で考えることが大事だよ。だって、グローバリゼーションこそ世界の現状だし、いまきみが生きている時代なんだから。

海外とのお金のやりとり

　国や地域によっていろいろな種類のお金があることは、もう知っているね。日本は円で、イタリアをふくむEUはユーロ、アメリカはドルだね。

　異なる種類のお金（通貨）を売買（交換）するときの値段を為替レートといって、そのときどきで変化していくよ。ドル／円＝114という表記を見たら、1ドルは114円ですよという意味なんだ。つまり、1ドルを買うには、114円必要だってこと。

　きみがバタークッキーを輸出したり、マダガスカルのバニラを輸入したりするときには、相手の国の通貨と円との為替レートを知っておかないといけないぞ。商品をすぐに輸出入するのか、または、いまはやめておくべきか、そのタイミングを計るのに役立つからね。

グローバル市場のチャンスと問題

　何年かまえ、ヨーロッパ最大の空港のひとつ、イギリスのヒースロー空港に、2色に色分けされた世界地図のポスターが張りだされ

たことがある。すでにビジネス・パートナーとして取引をしている国と、これから新しくビジネスをはじめるチャンスのある国で色分けしてあったんだけど、そのメッセージは強烈だった。ようするに、海外出張中の人たちに向けて、世界はつながっているからあなたしだいですよって、その地図は語りかけていたわけ。

　世界全体をひとつのマーケットだと考えて、そこで人びとが活発に何かを生みだしたり、働いたり、モノやサービスを交換したりするってのは、かんたんなことではないけれど、心躍ることであるのはまちがいない。世界には、言語も、文化も、考え方も、行動様式も、きみとはまったく違う人たちがいるんだ。視野をぐんと広げて、そういう人たちのことを信頼できるようにならなくちゃね。

　正しいやり方で、法にのっとってものごとを進めていったさきに、世界はきみに扉を開いてくれるかもしれない。

　だから、たとえきみの商売が昔ながらの方法でうまくいかなくても、もしかしたら、きみのバタークッキーはアルメニアですごく人気が出るってことになるかもしれないよね。そうしたら、きみは人間関係を築きあげて、クッキーをアルメニアに持ちこむのを手伝ってもらうこともできるわけだよ。

　マーケットがどこにでもあるってことは、何かできないかと考えている人たちが、いまこの瞬間にも、あちこちにいるということだ。すぐにでも動きだして、モノやサービスを運んだり、契約や会社を生みだそうって人がいるわけだよ。それはつまり、費用やもうけを分かちあいながら、仕事で協力しあえる人が世界中にいるってことなのさ。

　そういうチャレンジをするとき、お客だって経営者だって労働者だって、どんな人だって、育った環境や文化、好み、考え方、問題

15　グローバル市場って、なに？　133

の解決のしかた、ライフスタイルはそれぞれ違うわけだから、何かを共有するのがとても大切になる。それがつまり、ルールだ。

　地元のマーケットを守るほうがいいと考えて、「よそ」からくる商品、人、チャンスに制限をかける国もある。人件費が違う国もあるぞ。たとえば、最低賃金が時給5ドルの国もあれば、別の国では、まったく同じ内容の仕事でも1ドルってこともあるのさ。

　企業が、赤字にならずに利益を得るためには、最低賃金5ドルの国なら、その労働が少なくとも6ドルの売り上げを出さないといけないし、1ドルの国なら、2ドルの売り上げが必要になるよね。でも、マーケットが世界全体なら、2ドルの売り上げですむ場所の企業のほうが、ほかの場所の企業よりも有利になる。

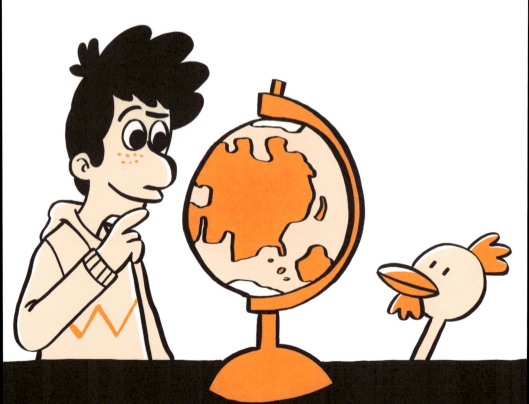

　グローバルな市場と、国内や地元の市場は、どちらかがどちらかのじゃまをするんじゃなく、補いあえるような関係になって、共存していくことが大切なんだよね。
　家を出てまわりを見まわすと、小さなお店がそれぞれにものを売っていて、通りには活気があって、地域ににぎわいがある。売られているモノやサービスには、長い長い旅をしてそこまでやって来たものもあるし、きみのクッキーのように、売っている場所で生産されたものもあるよね。そのどちらもあることが大事なんだよ。

　ぜんぶがぜんぶ、そこでつくられたものだったら、どれも似たりよったりになるし、変化も生まれにくいよね。きみがいつもしているように、いろいろあるなかから好きなものを選ぶことはできなくなるんじゃないかな。
　もちろん、とても遠くから商品がどっさり移動してくることについては、流通による環境汚染について注意しておかないといけない。持続可能なやり方を考えないといけないんだ。
　そう、この「持続可能」ということばこそ、経済学者だけでなく、この地球に暮らすぼくたちみんなが、心にとめておくべきものなんだよ。グローバル市場のいいところや、そのビジョンを守るためにもね。

15　グローバル市場って、なに？　　135

人や環境のことを考えて買う

　スーパーへ行って、「国産」って書いてある商品がどれぐらいあるか見てみよう。「国産原料100%」とか、「○○県産の牛乳使用」とか、そういうやつだよ。ついでに、両親やおじいちゃん、おばあちゃんに、昔はどんな感じだったのか、聞いてみよう。

　いまは、地球を半周してきたような商品よりも、移動距離がゼロに近い、つまり地元でつくられたものを好む人がどんどん増えている。もちろん、何を買うかは自由だけど、長旅をしてきたものというのは、それだけ運搬で二酸化炭素を排出していることになるから、エコではないというわけ。地球環境や、つくっている人たちの労働環境に配慮された商品を選んで買うことを、英語で「倫理的な」という意味の「エシカル消費」というよ。

　ただし、移動距離がゼロに近いことが、かならずエコとはかぎらない。たとえば、こんなことに気づいた研究者がいるぞ。イギリスでトマトを収穫するには温室が必要なんだけど、これが環境にすこぶるよくないんだ。広いビニールハウスを暖房で温めるために、大量の重油を使うからね。だったら、ふつうに外で栽培できるスペインから野菜を取りよせたほうが、もっと「環境にやさしい」んだって。

　もうひとつ気をつけておきたいのは、「国産」という表示をそのまま受けとっていいのかってこと。たとえばうどんは、たいてい国内で生産されているけれど、原料の小麦は世界中からやってきている。

　ようするに、グローバリゼーションは、思ってもみないところから、ときどきひょっこり顔を出すってことだね。

2020年に何が起きたかを考えてみよう。新型コロナウイルスによる感染症は、またたくまに世界中に広がった。ウイルスがどう蔓延したかを見れば、今日の世界がどれほど密接につながっていて、商品や人がどれほどすばやく移動しているかわかるよね。

　でも、それと同時に、グローバルな結びつきがあるからこそ、世界のあちこちの研究者たちがいっしょになってウイルスを研究し、驚くべきスピードでワクチンを手にすることができたともいえる。グローバルなネットワークや通信網を使って、情報やデータ、研究、解決策を共有したってわけ。もちろん、グローバリゼーションにはまちがいだってあったけれど、人類の健康福祉を追求しようという国際的な理想もあったってことさ。

　ぼくたちは成功したんだろうか？　成功はしなかったんだろうか？　もっとまえにうまくやれたんじゃないのか？　違うやり方にすべきだったんじゃないか？　これからもうまくやっていけるのか？

　どれもいい質問だね。ぜひ、きみも深く考えてみてほしい。この大いなる世界の一員であるきみも、その答えを見つけだすんだ。

15　グローバル市場って、なに？

じゃあ、またね

そろそろお別れだ。この本にある疑問よりもたくさんの疑問が、きみの頭に浮かんできているといいな。それから、「みんなの繁栄」っていう、経済の大事な考えがきみに伝わったならうれしいよ。

ものごとをうまく進めるためには、楽観的でいることも必要だし、未来に賭けてやろうという気持ちもないといけない。そして、たいていの人間はいい人なんだっていう信頼がないと、楽観主義は成り立たない。

この世の中には、じつにいろんな人がいる。なかには、話が通じない人もいるかもしれないし、何をしでかすか予測不能な人もいるだろう。夢見がちな人も、面倒な人もいるにはいる。でも、みんながみんな、この世界の一員なんだ。ますますせまくなりつつある、この世界のね。だから、だれひとり、とり残すわけにはいかない。

それから、きみ自身が大事な存在なんだと、感じてもらえていたらうれしい。きみは、きみのまわりの経済にとって必要不可欠で、マーケットを動かすエージェント（国家機密を動かすスパイってわけじゃないぞ）なんだとわかってもらえたらなって。だからこそ、きみの選択のひとつひとつが、社会が進んでいく方向を示すパズルのピースなんだ。

きみは何がほしいのか、考えてほしい。どれくらいほしいのか。手に入れるために、どこまでする用意があるか。そして、忘れずに考えてほしいのは、きみがそれを手に入れることで、どこにどんな影響をもたらすかってこと。こ

れがしたい、あれがほしいという欲望は、いつかは変わるってことも。

　こうしたもろもろをふまえて、ぼくたちにいつも求められているのは、「選択する」ということだ。

　何かを選べるというのは、ステキであると同時に、難しいことだよ。どうも納得がいかないなってことは、きみにもたくさんあるはずだ。迷ったときに、自分にとって都合がいいことだけを考えてはいけないぞ。経済学のでっかい教えは、きみの選択、きみの決定が、きみだけの問題ではないことを伝えている。きみが何かを選ぶときには、その選択によって影響を受ける人たちの事情や気持ちにも、思いをめぐらせてみて。世界を、きみにとっての世界を、その人たちの目で見るのさ。

　グローバル社会には、たえまないきらめきと、無数の数字、価値の違う貨幣が飛びかっている。物質と希望と革命と反動がある。そんな世界でぼくたちがきみに授けられる、いちばん力強い教えはこれだよ。選ぶまえに、ほかの人のことを考えろ。

　それでは、よい旅を！――と言うかわりに、こう言ってお別れだ。よい経済を！

日本版監修者あとがき

　私がお金や経済に興味をもつようになったのは、高校を卒業して、東京の大学に通うために上京し、ひとり暮らしをはじめたことがきっかけでした。

　人口数万人の小さな町で生まれ育ち、親元で小銭ていどしか使わずに暮らしていたのが、突然、物価の高い都会で、自分の財布から出すお金で日々をまかなう生活になったのです。その額、月に2ケタ万円。

　この部屋の家賃は適正？　スキー合宿に5万円も使って、だいじょうぶ？　卒業したあと、健康的な生活を維持するには月にいくら稼ぐ必要がある？　毎日、わからないことだらけでした。

　大学時代、デパートの物流センターで洋服に「値札のタグ」をつけるアルバイトをしたときの経験も、印象的でした。ふとタグを見ると、定価2万円ほどの人気ブランドの洋服の製造原価は、わずか5000円ほどでした。そして、立ちっぱなしで働く自分の時給は850円。よくわからない大きな渦に飲みこまれたような心細さを感じて、目の前がぐらりと揺れました。

　驚いたのは、そうしたお金と経済のしくみに関心のある人、教えてくれる人が、まわりにほとんどいなかったことです。日本では、お金の話をするのは、はしたない（かっこ悪い）と避ける人が多く、大学でも、難しい経済理論の授業はあっても、現実のリアルなお金について学ぶ機会はめったにありません。このままのリテラシー（知識）で生きていって、私はだいじょうぶ？——その疑問が経済メディアで働く動機となり、20年たったいまも、お金と経済の謎を追いつづけています。

　「お金についての関心が薄い日本人」ですが、「真剣に考えなく

ても平気だったから」ともいえるかもしれません。戦後、日本は勤勉な国民性もあって驚異的な経済成長をとげ、世界第3位のGDPを誇る国になりました。しかも、長いあいだ、日本の多くの会社員は、いちど入社を許可されたら、60歳を過ぎるまで、40年以上クビにならずに給料を受けとれる「終身雇用」でした。多くの人は、そうした状況が「永遠に続くかのように」安心していました。

　ところが、ここ30年くらいで、状況は激変していきます。残念なことに、かつて栄華を誇った日本企業は、国際的な競争で苦戦を強いられる場面が増えました。有名な大企業でも、終身雇用の維持が困難になり、「45歳定年」ということばまで登場。一方、給与から自動的に引かれる税金は増え、私たちの手元に届くお金は減る傾向にあります。

「なんだかたいへんそう……」と思ったかもしれませんが、10代のうちに、お金と経済に少しでも興味をもてるなら、それは、とてもラッキーなことです。これから大人になるみなさんは、自分の判断で、いかようにも人生を選びとることができるのですから。「経済環境のパッとしない日本から脱出して海外で暮らそう」でもいいし、「長時間働かなくてすむように時給の高い仕事をしよう」でもいい。自分が望む幸せな生活は、どんな方法であれば手に入るのか。そこに近づくために、お金と経済への興味と知識をたくわえておくことは、とても有意義なはずです。

　お金はなんの役に立つ？──この本が、みなさんが幸せな人生をつかみとるひとつのきっかけになればと願っています。

東洋経済オンライン編集長　吉川明日香

著

ピエルドメニコ・バッカラリオ

児童文学作家。1974年、イタリア、ピエモンテ州生まれ。著書は20か国以上の言語に翻訳され、全世界で200万部以上出版されている。小説のほか、ゲームブックから教育・道徳分野まで、手がけるジャンルは多岐にわたる。邦訳作品に、『ユリシーズ・ムーア』シリーズ（学研プラス）、『コミック密売人』（岩波書店）、『13歳までにやっておくべき50の冒険』（太郎次郎社エディタス）など。

フェデリーコ・タッディア

ジャーナリスト、放送作家、作家。1972年、ボローニャ生まれ。あらゆるテーマについて、子どもたちに伝わることばで物語ることを得意とする、教育の伝道者でもある。子ども向け無料テレビチャンネルで放送中の「放課後科学団」をはじめ、多彩なテレビ・ラジオ番組の構成・出演をこなす。P・バッカラリオとの共著に『世界を変えるための50の小さな革命』（太郎次郎社エディタス）がある。

監修　シモーナ・パラヴァーニ＝メリンホフ

世界最大の資産運用会社、ブラックロック取締役。1974年、ボローニャ生まれ。BMW財団ヘルベルト・クヴァントの「責任あるリーダーのネットワーク」メンバーで、若者の金融教育を担うイギリスのNGO、MyBnkの理事も務める。2019年からは、ユニバーシティ・カレッジ・ロンドン（UCL）で、AIの金融への応用について教鞭をとっている。著書に『ちびっこ向け 世界ポケットガイド』がある。

絵　グッド（Gud）

漫画家、作家。本名はダニエーレ・ボノモ。1976年、ローマ生まれ。短編小説、マンガ、子ども向けグラフィック・ノベルを手がける。漫画学校の講師やローマの漫画祭ARF!の企画もこなしている。代表作に「ティモシー・トップ」シリーズなど。

日本版監修　吉川明日香（よしかわ・あすか）

東洋経済オンライン編集長。1979年、熊本県生まれ。2001年、東洋経済新報社に入社。記者として、狂牛病問題などに揺れた食品業界を皮切りに、建設、精密機械、電子部品などの企業産業分野を取材し、『週刊東洋経済』や『会社四季報』に執筆。東洋経済記者初の産休・育休（2回）を取得し、経済の奥深さを実感する。2012年、東洋経済オンライン編集部に入り、2020年10月より編集長。

訳　野村雅夫（のむら・まさお）

ラジオDJ、翻訳家、京都ドーナッツクラブ代表。1978年、トリノにて、日本人の父とイタリア人の母とのあいだに生まれる。イタリアのものを中心に、映画の字幕製作や配給、上映イベント、トークショーの企画などを手がける。訳書にシルヴァーノ・アゴスティ『誰もが幸せになる1日3時間しか働かない国』（マガジンハウス）など。

いざ！探Q ①

お金はなんの役に立つ？
経済をめぐる15の疑問

2022年2月15日 初版印刷
2022年3月15日 初版発行

著者　ピエルドメニコ・バッカラリオ
　　　フェデリーコ・タッディア
監修者　シモーナ・パラヴァーニ＝メリンホフ
イラスト　グッド

日本版監修者　吉川明日香
訳者　野村雅夫
デザイン　新藤岳史
編集担当　漆谷伸人
発行所　株式会社太郎次郎社エディタス
　　　　東京都文京区本郷3-4-3-8F　〒113-0033
　　　　電話 03-3815-0605　FAX 03-3815-0698
　　　　http://www.tarojiro.co.jp

印刷・製本　大日本印刷

定価はカバーに表示してあります
ISBN978-4-8118-0671-6 C8033　NDC330

Original title: A cosa servono i soldi?
By Pierdomenico Baccalario • Federico Taddia
with Simona Paravani-Mellinghoff
illustrations by Gud
© 2021 Editrice Il Castoro Srl viale Andrea Doria 7, 20124 Milano
www.editriceilcastoro.it info@editriceilcastoro.it
From an idea by Book on a Tree Ltd. www.bookonatree.com
Project Management: Manlio Castagna (Book on a Tree), Andreina Speciale (Editrice Il Castoro)
Editor: Loredana Baldinucci
Editorial management: Alessandro Zontini
Graphic design and layout by ChiaLab